KB171925

여행 한 스푼
행복 한 그릇

여행 한 스푼
행복 한 그릇

발 행 일　2023년 12월 4일

지 은 이　곽태수 김도연 김영희 김윤주 라　일 박경신 박종섭 소은순 손기택 송일경 신미자 이세은 이우자 이혜진 최성모 황경하

그　　림　박경신

편　　집　권　율

디 자 인　김현순

발 행 인　권경민

발 행 처　한국지식문화원

출판등록　제 2021-000105호 (2021년 05월 25일)

주　　소　서울시 서초구 서운로13 중앙로얄빌딩 B126

대표전화　0507-1467-7884

홈페이지　www.kcbooks.org

이 메 일　admin@kcbooks.org

ISBN　979-11-92475-97-4

ⓒ 한국지식문화원 2023

본 책 내용의 전부 또는 일부를 재사용하려면

반드시 저작권자의 동의를 받으셔야 합니다.

발간사

서울시 성북50플러스센터에서 함께 뜻을 모은 16인의 여행작가가 선물하는 톡톡 튀고 개성 넘치는 여행 이야기 '여행 한 스푼, 행복 한 그릇'이 발간 되었습니다.

따로, 또 함께 더 빛나는 여행 이야기의 퍼즐을 맞추며 소중한 경험을 공유합니다.

공동저서 집필을 도전하며 더 큰 모험에 도전할 수 있는 용기를 얻었습니다. 공저에 함께한 작가 모두에게 응원의 박수를 보냅니다. 작가 모두에게 소중한 기회를 만들어주신 성북50플러스 관계자분들께 진심으로 감사의 말씀 드립니다.

권경민
프로젝트 리더
한국지식문화원 대표

TABLE OF
CONTENTS

하오개에서의 삼 년 <곽태수> 7

강릉, 삶을 들여다보기 <김도연> 23

잠옷 입고 떠나는 여행 <김영희> 37

내 아이와 함께 떠나는 마음챙김 제주도 여행 <김윤주> 49

계양산 자락, 신앙의 숨결로 숨쉬다 <라일> 59

영국살이 낭만 드로잉에세이 프롤로그 <박경신> 75

제주 한 달 살기 도전, 첫눈에 반한 우도 사랑에 빠지다 <박종섭> 93

가깝고도 먼 그대와 <소은순> 111

하느님의 영이 흐르는 길 <송일경> 127

프로방스 미술 기행 <신미자> 147

같이 사는 기술 <이세은> 165

다양한 문화를 품은 부산 피난민의 발자취를 따라서 <이우자> 179

투즈괼의 붉은 발 <이혜진> 197

아빠와 함께 떠나는 그림책 여행 <최성모> 215

50대 은퇴 부부가 싸우지 않고 즐겁게 차박 캠핑하는 법 <황경하> 233

당신의 열정이 당신을 결정 <손기택> 248

여행한 스푼 행복한 그릇

글. 사진
곽태수 김도연 김영희 김윤주 라 일 박경신 박종섭 소은순
손기택 송일경 신미자 이세은 이우자 이혜진 최성모 황경하

그림 박경신

한국지식문화원
BOOK PUBLISHING

하오개에서의 삼 년

곽태수

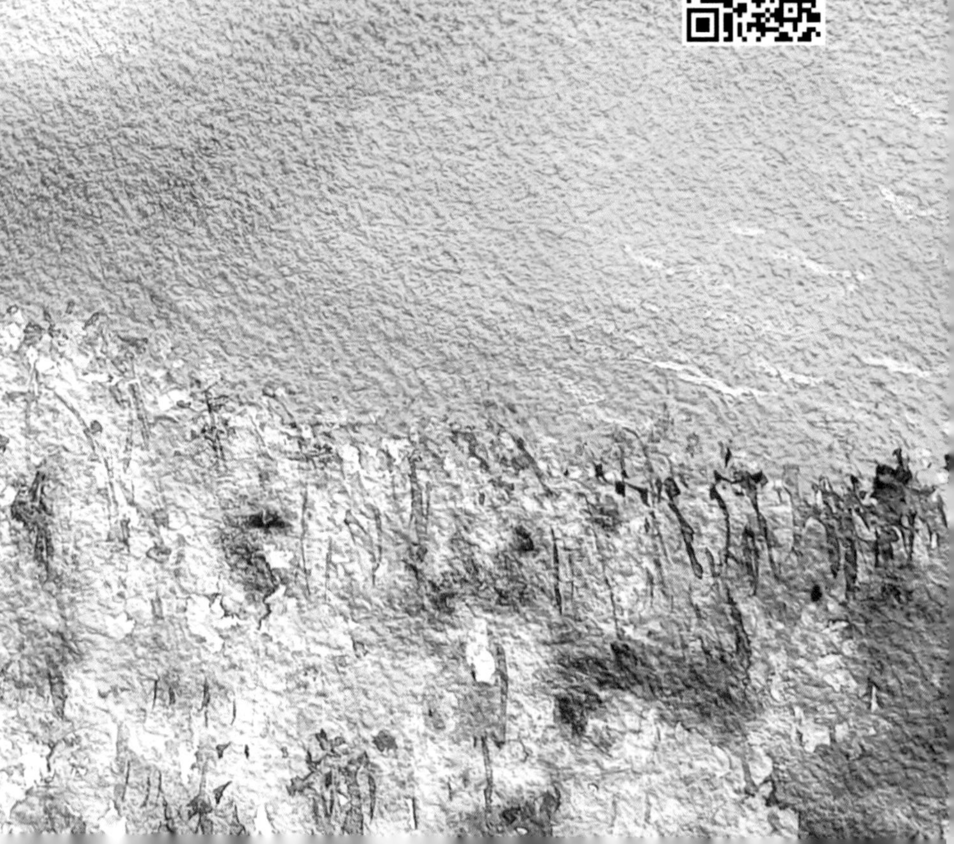

누군가 왜? 하오개를 사랑하는가? 라고 내게 묻는다면 난 '하오개가 거기 있으니까'라고 답하리라

심심해서 TV 채널을 돌리다 보면 십중팔구 "나는 자연인이다"라는 프로그램이 나온다. 얼마나 오래된 프로그램인지 모르겠지만, 볼 때마다 항상 새로운 자연인이 등장하는 걸 보면 장수프로그램이 분명하다. 고등학교 때 지리 선생님이 우리나라는 영토가 작은 나라라고 말씀하셨었는데 그건 다 뻥이다. 정말 작은 땅덩어리였으면 어찌 저렇게 많은 자연인들이 사람 눈에도 안 띄고 살아갈 수 있었겠는가? 분명 어마어마하게 넓은 국토지만 우리 정부가 어떤 비밀스러운 이유로 국민을 속이는 음모가 있을 거라는 합리적인 의심을 잠시 해본다. 출연하는 자연인들은 저마다 한가지씩의 사연을 가지고 있다. 현대 의학으로는 치유가 불가능하다는 사망선고를 병원으로부터 받고 깊은 산속에 홀로 들어와 맑은 공기와 몸에 좋은 약초로 건강을 되찾은 사람, 어린 시절은 불우했었지만, 열심히 노력해 많은 돈을 벌었다가 부도로 쫄딱 망해 산에 들어온 사람, 사람들에 속고 상처받아 찾은 사람 등등 정말 제각각이다. 비슷하지만 각자 다른 삶을 살아가는 자연인에게서 언젠가 미래의 내 모습이 투영되는 건 분명 기분 탓일 거다.

강원도 평창군 오지에 위치한 산골짝 하오개 계곡에는 통나무와 황토로 멋지게 지어진 산장이 있다. 처음에는 펜션으로 지어졌지만, 이곳이 너무 오지라 그런지 찾는 이가 없어 몇 년 전부터는 약간의 사용료를 지불하고 내가 전용 세컨하우스로 사용하게 되었다. 드디어 내게도 자연인의 삶을 흉내 내 볼 수 있는 나만의 공간이 생긴 것이다. 비록 아직은 온전한 시간을 여기서만 보낼 처지는 못 되지만 파트타임으로라도 자연인으로 살아보는 게 어딘가? 누구나 부러워하는 삶을 은퇴하지 않고도 먼저 맛볼 수 있다니 진정한 축복 아니겠는가? 물론 축복이 될는지? 개고생이 될는지? 모르기만 해보지도 않고 포기하는 것보다는 해보고 후회하는 것이 낫다. 백번 낫다.

때 묻지 않은
청정 하오개 계곡

청정자연 산나물

이곳 하오개에서 만나는 산나물은 정말 부드럽고 맛이 좋다. 산의 동쪽 편이라 그런지 인제군의 아침가리골처럼 아침나절만 잠시 해가 보이고 나면 하루 종일 그늘이다. 그래서 응달진 곳에 자라는 산나물들이 풍부하고 또 식감이 연하다. 제일 먼저 하오개의 봄을 알리는 건 명이나물이다. 집 뒷켠의 삼백 평쯤 되는 나무 그늘 아래에 명이가 가득하다. 눈도 덜 녹은 땅에 다른 잡초 하나 없이 오로지 명이만 가득하다. 식당에서 주는 명이 절임은 대부분 중국에서 가져온 것으로 토종 명이와는 생김새와 맛도 큰 차이가 있다. 수입산 명이는 마치 옥수수잎처럼 길쭉한데 토종 명이는 그보다 잎이 훨씬 둥근 모양이며 부드러운 식감과 마늘향의 풍미 또한 월등하다. 처음에는 명이나물을 간장 절임으로만 먹었었는데, 어느 날인가 삼겹살 구워 방금 뜯은 명이나물에 쌈을 싸서 먹어보았더니 웬걸 이게 절임보다 훨씬 더 맛있는 게 아닌가? 명이나물을 오래 두고 먹기 위한 요량으로 절임 해야 했던 것을 몰랐던 것이다. 하오개에 어디 명이뿐이겠는가? 눈이 녹고 조금만 지나면 두릅이며 냉이, 머위와 부추 왕고들빼기 등등 수 많은 봄나물이 올라온다. 새똥이라고도 부르는 왕고들빼기는 뿌리째 김치를 담가도 맛있지만, 쌉싸름한 그 잎으로 쌈을 싸도 그 맛과 향이 일품이다.

심봤다!

운 좋은 날은 근처 산들을 산책하다 횡재를 한다. 코끝을 스치는 바람에 더덕향이 실려 오면 분명 근처에 더덕이 있는 거다. 매의 눈으로 바람이 불어오는 쪽을 뒤지다 보면 반드시 더덕이 나온다. 그런 날은 더덕구이도 먹고 더덕주도 담그고 아무튼 사진 찍어 지인들에게 자랑하며 신나는 하루를 보내게 된다. 작년에는 인천에서 교감 선생님으로 근무하는 친구가 어머니 모시고 며칠 쉬다 갔는데 글쎄 그 사이 근처 야산을 돌아보시던 어머니께서 산삼을 캐신 것이다. 고향이 강원도라 산삼 경험이 있으신 건지? 워낙 인자하신 분이라 신령님께서 점지해 주신 건지 몰라도 아무튼 덕분에 나도 태어나서 첨 산삼을 구경하고 같이 맛보는 행운을 가졌었다.

하오개의 주인 야생동물들

워낙 산이 깊은 곳이라 야생동물이 당연하지만, 문득 새벽 현관문 앞에서 강아지인 양 쳐다보는 너구리를 첨 만났을 땐 참으로 당황스러웠다. 공격할까봐 걱정도 되지만 인가까지 내려와 사람 보고도 도망 안 가는 걸 보면 눈이 많이 쌓여 먹이를 못 구한 것 같다. 어제 구워 먹은 바비큐 그릴에서 반쯤 탄 갈비뼈 하나를 던져주니 킁킁 냄새를 맡아보곤 입에 물고 큰 꼬리를 뒤뚱뒤뚱 흔들며 어둠 속으로 사라진다. 앞으로도 고기로 저 녀석을 유혹해 마스코트처럼 키워봐야겠다. 사냥개라도 한 마리라도 키워보고 싶지만, 그보단 어디 가서 너구리 한 마리 키운다라고 얘기하면 얼마나 있어 보이겠는가? 아무튼 하오개에선 산책하다 고라니를 만나도 바비큐 하다 장작 위에 다람쥐가 나타나도 이상할 게 하나 없다. 그냥 이 모든 것들이 이곳의 일부이고 또 나보다 훨씬 먼저 이곳에 자리 잡았던 놈들이니 저 녀석들이 주인이고 내가 객이라 생각하면 맘이 편하다.

까치살모사

어느 비 그친 여름날 아침 아래채 계단에 또아리를 틀고 있는 뱀을 발견했다. 냉혈동물이라 체온을 올리기 위해 오전 따듯한 햇볕을 쐬러 나온 것이다. 독사가 분명한데 근처에 사람이라도 오면 나무로 된 계단 아래로 도망가고 조용해지면 다시 나와서 일광욕하니 이걸 잡을 수도 없고 참으로 환장할 노릇이었다. 오후에 근처 '강뚝'이라는 맛집에서 식당 주인에게 사진을 보여주고 물어보니 근처에 흔한 까치살모사란다. 심지어 배가 통통한 걸 보면 알이 있어 한 달쯤 뒤면 새끼 뱀까지 나올 거라는 끔찍한 소리도 한다. 아니 한 마리도 끔찍한데 이를 어쩌란 말인가? 산장을 이용하는 지인들이나 회사 직원들이 물릴 수도 있으니 정말 큰 일이다. 한번 물리면 일곱 걸음을 떼기 전에 죽는다고 칠보사라는 별명도 가지고 있단다. 밥집 주인에게 뱀 잡을 때 쓰는 집게를 빌려 녀석이 나타나는 나무계단에 한 시간쯤 잠복한 끝에야 녀석을 잡을 수 있었다. 잡고 나니 이젠 또 이걸 어찌해야 하나 하는 고민이 생겼다. 다시 풀어줄 수도 없고 잡아먹거나 파는 것도 불법이라 하니 이를 어쩐단 말인가? 아무튼 내가 아는 상식선에서는 땅에 묻는 것도 종량제 봉투에 버리는 것도 다 불법이니 참으로 고민스러웠다. 결국 그 뱀을 어찌 처리했을지는 각자의 상상에 맡기기로 하겠다. 혹시 또 다른 뱀이 나타날지 모르니 지난겨울의 너구리나 야생 고양이들이 이곳에 자주 출몰하도록 먹이를 계속 주어야겠다.

계곡 그리고 버들치

하오개에는 '남계곡'과 '북계곡' 두 개의 계곡이 있다. 아니 두 개의 계곡 사이에 산장을 지었다고 하는 게 맞겠다. 아무리 더운 여름날도 계곡 속에 딱 일 분만 들어가면 더위가 적어도 그날은 다시 돌아오지 않는다. 열에 아홉은 일 분은커녕 발도 못 담글 정도로 차가워 아예 들어가지도 못한다. 그 계곡에 버들치라는 물고기가 산다. 먹이를 찾기 어려운 맑은 계곡이라 그런지 발을 잠시 담그기만 하면 마치 워터파크 닥터피쉬처럼 떼로 달려들어 발가락의 각질을 뜯어먹느라 난리다. 조심성 많은 큰 녀석들은 눈치 보느라 근처를 배회하고 작은 녀석들이 사람을 무서워하지 않고 달려든다.

문득 군 생활 시절에 취사반 뒤쪽 개울에서 훈련 때 쓰고남은 물소독약을 몰래 풀어 잡곤 했던 매운탕 맛이 그리워진다. 정선 오일장도 구경할 겸 시장에 들러 피라미 잡는 플라스틱 어항을 하나 샀다. 이 어항 입구에 된장을 조금 발라 계곡 깊은 곳에 넣자마자 이 녀석들이 서로 먼저 들어가려고 싸우는 게 아닌가? 아싸! 대박이다! 더도 말고 딱 오 분이면 어항에 하나 가득이다. 맑은 계곡에만 살던 이 녀석들이 언제 우리 콩으로 만든 된장 맛을 봤었겠는가? 아주 그냥 환장을 한다. 잡은 버들치를 간단히 내장만 제거해 튀김가루 반죽을 입혀 튀기니 그냥 천상의 안주가 따로 없다. 분명 뼈와 대가리가 있을 텐데 칼슘이 다 어디로 갔는지 그냥 사르르르 녹는 것이 정말 일품이다.

이렇게 작은 물고기로 튀김을 할 때는 꼭 두 번을 튀겨야 한다. 살 속의 수분이 남아있어 반드시 두 번으로 나눠 튀겨야 눅눅하지 않고 바삭하게 튀겨진다. 독특한 불향맛 아일라위스키 '아드벡'의 안주로는 정말 찰떡궁합이다. 고맙다 버들치야

산중 요리 페스티벌

산장에 큰 냉장고 두 개나 있어도 신선식품을 보관하는 건 쉬운 일이 아니다. 계속 사는 집은 별문제 아니겠지만 간헐적으로 자연인 생활을 하는 나로서는 이 삼 주 만에 한 번씩 와 보면 지난번 먹고 냉장고에 넣어둔 고기며 두부가 상한 적이 한두 번이 아니다. 그래서 꼭 먹을 만큼만 챙겨오고 장기 보관 가능한 저장식품을 기본으로 이곳에서 나는 제철 식재료를 이용해 요리하는 편이다.

파전 맛집

서울서 갑자기 들이닥친 친구들이 배고프다 할 땐 파전이 정답이다. 산장 입구 비닐하우스에 듬성듬성 난 쪽파를 뽑아다 기름 두른 팬에 적당량 깔고 위에 부침가루 반죽을 얹어 부치면 된다. 조금 사치를 부려 경희대 앞 '나그네파전' 스타일로 계란 하나 무심히 깨서 얹으면 더 고급져진다. 시장기 속이는 데는 이만한 것이 없다. 부추전으로, 미나리전으로, 호박전으로, 돌나물전으로 그 확장성은 거의 무한대이다. 부침가루와 물의 1:1.5 황금 비율만 알면 쉐프가 되는 건 참 쉽다.

농사 -먹거리 재배-

지난봄에 진부서 채소 모종을 8천 원어치 사니 양이 제법 많다. 고추와 상추, 토마토가 밥상을 풍요롭게 해 줄 생각을 하며 한쪽에 심어 놓고 보니 여간 대단하고 흐뭇한 게 아니다. 근데 몇 주 지나면서 보니 참 생각과는 다르게 이 녀석들이 잘 자라주지 않는 거다. 강원도라 추위 때문에 그런가 생각했지만, 오고 가는 길 농가 밭들에 자라는 고추는 내 고추보다 두 세배는 더 크게 자라있는 걸 보면 꼭 기온 탓만은 아닌 것 같았다. 주말농장깨나 해봤다는 형님에게 전화로 물어보니 거름을 안 줘서 그렇단다. 그냥 마사토 땅에 거름 하나 없이 모종을 심으니 잘 자랄 리가 없었던 거다. 분당 잡월드 근처의 꽃 파는 화원에 가서 압축 닭똥 한 봉지 사서 조심스레 뿌려줬더니 자라는 속도가 조금은 빨라졌다.

하지만 아무래도 어릴 때 못 먹고 곯아서 그런지 수확물이 영 형편없다. 갈 때마다 겨우 방울토마토 몇 알과 고추 서너 개 그리고 약간의 상춧잎으로 만족할 수밖에 없었다. 내년 봄에는 모종 심기 전에 농협에 가서 큰 퇴비 한 포 사서 미리 뿌려두면 올해보다는 훨씬 많은 수확을 거둘 것 같다. 누가 그랬나? “직장 때려치우고 시골 가서 농사나 지어야지.” 택도 없는 소리다. 농사 아무나 짓는 게 아니다. 풍성한 수확은 전문성과 엄청난 노동력의 대가인 것을 새삼 느껴본다.

김치 담그기

한국 사람이니 당연히 김치를 좋아하지만 난 특히 열무김치를 좋아한다. 그것도 소금에 절이지 않고 김칫국물에 잠긴 시원한 열무물김치를 제일로 좋아한다. 예전에는 대학 일, 이 학년 때 교련이 필수과목이었고 여름이면 일주일씩 부대서 '입영'이라는 군대 체험을 했었다. 그 일주일 내내 끔찍한 짬밥만 먹다 퇴소해 제일 먼저 찾았던 게 바로 싱싱한 열무김치 한 사발이었으니 내가 열무김치를 얼마나 좋아하는지는 두말할 필요가 없을 것 같다. 하오개에선 종종 열무김치를 담근다. 주재료는 진부 하나로마트서 구입한 열무와 얼갈이배추이다. 그리고 양념으로 고추와 마늘, 생강, 양파, 배, 쪽파가 들어간다. 먼저 찹쌀풀을 쒀서 식히고 열무와 얼갈이배추는 잘 손질해서 먹기 좋게 썰어둔다. 아까의 양념을 믹서로 곱게 갈아 손질한 주재료와 찹쌀풀과 함께 켜켜이 김치통에 담는다. 그런 다음 소금간을 한 생수를 넉넉히 붓고 참치액젓으로 마무리한다. 얇게 채썬 양파와 붉은 고추까지 얹어주면 보기에도 좋고 맛도 좋은 열무김치가 완성된다. 우리 조상님들은 술을 마신 후엔 면으로 해장을 하셨었다. '선주후면' 그래서 조상의 뜻을 오늘에 받들어 하오개에서 친구들과 술을 마시면 열무 냉면으로 속을 푼다. 첨엔 어느 맛집에서 사 온 김치라 의심하던 친구들도 이젠 내가 만들어 준 열무김치가 최고라며 올 때마다 한 통씩 가져가기까지 한다. 열무김치 원데이 클라스라도 만들어 직접 담가 먹게 해야지 귀찮아서 도저히 안 되겠다.

알리오올리오 파스타

요리를 좀 하다보면 식사도 되고 안주도 되면서 폼도 나는 요리가 필요할 때가 자주 있다. 나는 오랫동안 취미로 카약과 캠핑을 즐겼는데 캠핑 때 나의 시그니쳐 메뉴가 바로 알리오올리오 파스타였다. 무인도에서 같이 캠핑하던 멤버들 집에서 만들어보겠다며 레시피를 배워갈 정도로 정말 맛이 있었다. 알리오올리오 파스타는 만들기 정말 쉽다. 면은 봉지에 적힌 것 보다 2분 정도 더 삶아야 한국인 입맛에 맞는다. 어설프게 쉐프처럼 알단테 흉내 내면 면이 너무 딱딱해 그냥 폭망이다. 맛의 포인트는 뭐니 뭐니 해도 좋은 올리브오일이다. 엑스트라버진 등급의 신선한 올리브오일에 편마늘과 페페론치노홀이라는 스페인산 마른 고추를 넣고 볶아준다. 마치 중국요리에서 마늘기름이나 고추기름을 먼저 내는 것과 같은 이치이다. 거기에 삶아둔 면을 넣고 볶아주면 된다. 좀 더 기교를 부리려면 마트에 파는 냉동 해물믹스나 바지락조개 표고버섯 정도 더 넣으면 일품요리가 된다. 마지막에 데코로 바질 가루를 뿌려주면 더욱 감칠맛 나고 보기도 좋다.

혼자서도 심심할 틈 없이 놀아보자

산속에 혼자 지내는 삶이 행복하기 위해서는 주어진 환경 속에서 항상 재미있는 것을 찾아내야 한다. 지난 삼 년이라는 시간 동안 틈만 나면 망설임 없이 이곳을 찾았던 건 하오개가 항상 내게 그런 즐거움을 주었었고 앞으로도 계속 그럴 거라는 확신이 있기 때문이다.

악기를 배워보자

난 어려서부터 타고난 음치였다. 그것도 세상이 다 아는 음치였다. 보통 노래를 못하는 사람은 노래방도 안 가고 마이크를 쥐여줘도 사양하는데, 난 그냥 시키는 대로 부르다 보니 세상이 그걸 다 알게 된 것이다. 노래를 못하는 걸 커버하기 위해 집착했던 것이 바로 악기였다. 그렇다고 뭐 하나 정말 잘 연주하는 악기는 없었다. 학창 시절에는 디

코더와 하모니카, 기타를 배웠었고 사회에선 피아노와 색소폰을 배웠다. 그러다 보니 하오개 산장에는 기타 세 대와 전자피아노, 색소폰, 드럼 그 외에도 하모니카나 틴휘슬, 오카리나 같은 소소한 악기들이 넘쳐난다. 게다가 노래방 반주기에 악보 기능이 있어 굳이 비싼 엘프 반주기가 없어도 우리가 알고 있는 거의 모든 노래들을 연주할 수 있는 스마트함도 있다.

심지어 알토 색소폰의 Eb까지 이조 기능을 제공해주니 이것만 있어도 모든 연주는 충분하다. 창 너머로 들리는 계곡물 소리와 이름 모를 산새 소리에 눈을 뜨면 눈곱도 떼기 전에 전자피아노 앞에 앉아 어설픈 실력으로 몇 곡을 연주해 본다. 물론 내 실력으로는 조용필의 '그 겨울의 찻집'이나 초보용으로 편곡된 쇼팽 "녹턴 2번" 같은 곡을 연주하는 게 전부지만, 그래도 나름 혼자만의 감정에 푹 빠져 건반을 누른다. 피아노가 지겨워질 때쯤이면 일렉 기타를 앰프에 연결해 '해 뜨는 집'과 '파이프라인'을 연주한다. 이쯤이면 잠도 다 깨고 슬슬 배도 고파진다. 이래서 예술은 배고픈 것이라고 말하는 것 같다.

대충 아침을 챙겨 먹고 다시 또 예술의 세계로 빠져든다. 기타로 전영록의 '애심' 아르페지오 반주하며 노래를 부른다. 혼자 사는 산중 생활이니 망정이지 아파트 같았으면 관리실에서 민원 들어왔다며 조용히 하라는 방송이 나왔을 것이다. 그러다 필이 꽂히면 급기야 금색으로 번쩍이는 야마하 섹소폰을 꺼내 물고 '넬라판타지아'를 색소폰으로 연주한다. 운지가 꼬이고 호흡이 틀어져 삑소리가 나도 괜찮다. 누군가 듣는 사람이 있어야 틀렸다고 지적할 텐데 그럴 사람이 아무도 없으니 걱정 안 해도 된다. 설마 현관 앞에 가끔 나타나는 너구리 녀석이 지적질 하기야 하겠는가? 산장 아래채에 가면 널찍한 거실 한쪽에 드럼이 있다. 몇 번인가 배워보려 시도했지만, 음치에 이어 박치까지 타고난지라 내가 들어도 듣기 버겁다. 그래도 언젠가는 산울림의 '나 어떻게' 한 곡쯤은 악보 없이도 칠 수 있는 시간이 올 것이다. 지금은 안되는 것 같아도 하다보면 언젠가는 비슷하게 흉내 낼 수 있는 게 사람이고 삶이다. 분명 하오개에서 멋진 드럼 소리가 퍼지는 날이 있을 거라 믿는다.

술 이야기

학창 시절엔 술을 참 많이 마셨었다. 친구들과 몰려다니며 밤새 마시기 일쑤였다. 그 버릇은 사회까지 쭉 이어졌다. 오죽하면 첫 직장이었던 은행원 시절에 별명이 '딱 한잔 대리님'이었을까? 2차, 3차까지 회식하고도 마지막에 "딱 한 잔만 더 할까?"라고 해서 붙은 별명이었다. 혼자서는 술을 거의 마시지 않지만, 친구들을 위해 하오개엔 많은 술을 준비해 두었다. 면세점에선 위스키를 사고 성수동 조양마트에 새로운 술 소식이라도 톡으로 날아오면 지체없이 달려가 수집했으니 얼마나 많겠는가?

코스트코에 널려있는 와인이며 샴페인 세일이라도 할라치면 꼭 사서 쟁여둔다. '술 걱정이 없는 나라 우리나라 좋은나라'이다. 많이 마셔보고 술에 대해 아는 척하다 보니 칵테일을 만들어 보고 싶은 욕심이 생겼었다. 멋지게 바텐용 앞치마를 걸친 채 쉐이커를 흔들고 바스푼으로 칵테일 얼음을 돌리는 내 모습은 상상만 해도 너무 멋지다. 유튜브 검색을 해보니 칵테일 제조하기 위해 필요한 자격증이 '조주기능사'다. 자격증 있다고 더 맛있는 칵테일을 만드는 건 아니겠지만, 아무튼 그게 더 있어 보이긴 한다. 다행히 그동안 와인이며 위스키며 보드카를 즐긴 탓에 용어가 낯설지 않아 인터넷 공부만으로 쉽게 합격했다.

요즘은 또 어디 가나 하이볼이 핫하다. 먼저 큼직한 하이볼 글라스에 싱싱한 돌얼음을 채우고 위스키와 탄산수 그리고 지룩스사의 라임시럽을 1대 3대 0.5의 비율로 넣고 딱 열세 바퀴 반 저어주면 그냥 하이볼 맛집이 된다. 베이스는 스카치여도 좋지만, 왠지 제머슨 같은 아이리쉬 위스키로 만들면 풍미가 더 좋게 느껴진다.

아주 특별한 날엔 피트향 가득한 아일라 위스키로 하이볼을 만들면 정말 좋다. 뭐랄까? 삭힌 홍어를 처음 배울 때 어렵다가도 홍어무침 속에 살짝 스치는 암모니아 맛에 익숙해지며 결국 코가 뻥 뚫리는 삭힌 홍어를 찾는 것과 같다. 첨엔 부담되던 소독약 냄새도 하이볼로 만들어 마시다 보면 금세 그 병원 냄새 나는 피트향에 익숙해진다. 그쯤 되면 발렌타인 삼십 년도 우습게 얘기하곤 한다.

"난 싱글몰트 체질이야! 왠지 이것저것 섞은 블랜디드 위스키는 좀 밋밋해! 그중에서도 요즘은 자꾸 아일라 피트위스키가 땡기네…." 라며 허세를 맘껏 부려 보기도 한다. 적어도 위스키바에 가서 피트위스키를 한 잔 주문하면 바텐더가 그 손님을 물로 보지는 않는다. 마치 참치전문점에서 봉지김 치우라 하고 와사비와 무순만 간장에 살짝 찍어 먹는 고수처럼.

글은 마치지만 하오개의 간헐적 자연인 체험은 계속될 것이다. 계절이 바뀌고 해가 넘어가며 늘 비슷하면서도 또 다른 즐거움으로 반겨주는 하오개를 품은 자연에 감사드린다.

강릉,
삶을 들여다보기

권경 김도연

강릉시청 도서관

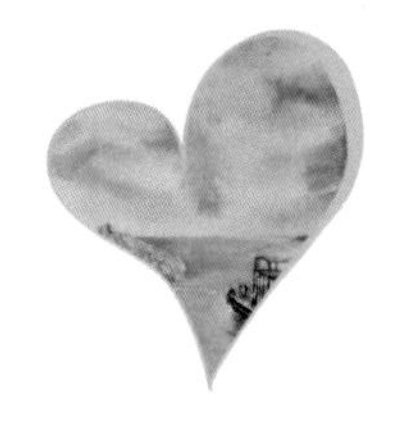

결혼은 일생토록 사랑하는 이와 떠나는 여행이다.

우리 부부는 삼십 년을 여행 중이다. 여행 중에 아이를 낳고 기르며, 직장으로 인해 주말부부를 하기도 하며 강릉에도 오게 되었다. 이 여행은 봄처럼 따뜻할 때가 있고, 여름처럼 열정적이었다. 때로는 가을처럼 서늘했고, 겨울처럼 슬프고 추울 때도 있었다. 돌아보면 모든 것이 아름다웠다. 치열하게 싸우며 밤을 샜던 그날 아침에도 목련꽃은 피었으니까.

강릉에도 남산이 있고, 남산 작은 도서관이 있다. 남대천이 흐르는 강을 건너면 중앙시장이 있다. 여행하는 사람들은 중앙시장의 닭강정, 오징어순대, 떡갈비, 소머리국밥집 등을 찾곤 한다. 우리는 현지인만 알고 있는 '훼미리 식당'에서 밥을 먹었다. 중앙시장 중간쯤에서 안쪽으로 들어오면 2층에 자리하고 있다.

부부가 운영하는 훼미리 식당은 요리는 부인이 하고 서빙은 남편이 하고 있다. 90% 이상을 예약제로 운영하는데 강릉에 사는 어머니들의 계모임이 주된 고객이라고 한다. 각 방마다 대여섯 명 또는 열 명 이상의 뽀글머리를 한 어머니들이 까만 머리를 맞대고 앉아있다. 작년에 소천하신 나의 영원한 사랑, 친정엄마가 생각나서 시를 써 보았다.

뽀글 뽀글 파마를 한 어머니
앞자리에 앉아계시네

뽀글 머리에서 풍겨나오는
진한 파마약 냄새

살아있을 적 울 엄마가 했던
뽀글 뽀글 파마머리

뽀글머리가 석달 간다며
새벽부터 일어나 복지관으로
걸어가 긴 줄을 서서 파마를 말고
돌아와서 좋아하셨던 울 엄마

이제는 웨이브 굵게 말고
오라고 타박 안 할 건데

울 엄마, 뽀글 뽀글 파마머리
이제는 볼 수 없네.

괜스레 엄마 생각이 나서 감자를 넣은 찰 진밥도 목이 메서 오래도록 씹어 먹었다. 훼미리 식당의 반찬은 엄마가 해준 집밥처럼 정겹고 맛있었지만, 그곳에서 만난 뽀글머리 어머니들은 울 엄마처럼 세월의 주름들을 얼굴에 새기고 있었다.

훼미리 식당 올라가는 한 귀퉁이에서 붕어빵을 팔고 있는 어머니도 뽀글머리를 하고 있다. 달콤한 붕어빵 냄새가 내 유년의 아랫목처럼 따스하게 전해져 울지 않고 웃으며 중앙시장을 돌아서 나왔다.

중앙시장에서 3분 거리에 독립예술극장 신영이 있다. 소도시인 강릉에 자본금도 없는 비영리 민간단체가 운영하는 독립, 예술영화 전용관이다. 여행을 와서 시간과 원하는 영화가 있다면 관람해도 좋겠다.

강릉시청은 시가지에서 벗어난 곳에 우뚝 서 있다. 시청 18층에 로하스 도서관이 있다. 로하스 작은 도서관은 창밖을 보며 독서할 수가 있다. 책을 보다가 눈이 시리면 창밖을 바라보며, 풍경을 감상할 수 있어 좋다. 참 좋다.

좋은 것으로 말하면 강릉 전경이다. 마치 먼 바다가 멀리서 출렁거리는 느낌을 받는다. 시야가 확보되니 가슴도 트이고 생각도 넓어져, 건강한 육체를 얻고 갈 수 있다. 도서관은 평화롭고, 시기심이 없다. 시기심이 없으니 안정이 되어 여행의 여독이 쉽게 풀린다. 손에 잡히는 그립감 좋은 책 한 권 꺼내 읽으면 그 속에 인생이 있다. 타인의 삶도 알아보고 나의 삶도 풍요롭게 이어 나갈 지혜도 얻는다. 강릉시청 로하스 작은 도서관은 여행에서 큰 의미를 지니게 해주어 다시 방문하고 싶다.

이 글을 쓰는 현재에는 18층 도서관은 일반 행정실로 바뀌고 1층과 2층에 걸쳐 서울 코엑스 별마당처럼 꾸며져 있다. pod 실이 있어 책을 직접 만들 수 있다. 책을 좋아하는 사람들에게는 꿈의 시설이다. 강릉에 사는 지인들이 부러워지는 순간이다. 부러우면 진다고 했는데 30년을 여행하면서 한 번도 이겨본 적 없으니, 우리의 인생은 언제나 무승부다.

강릉시청 〈강릉시 강릉대로 33〉

새벽에 받은 초대

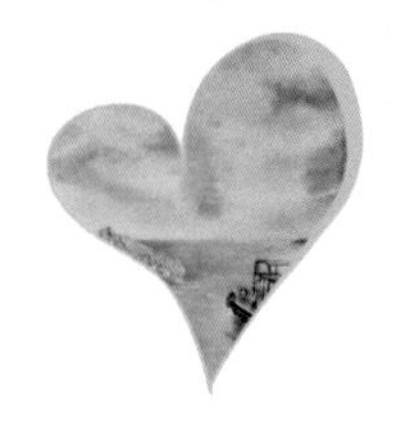

새벽 6시에 초대를 받았다. 강릉에서.

서울에서 조찬모임을 해도 새벽에는 안 해봤다. 그림 선물을 준비하고 5시에 일어나 단장을 했다. 남편이 결혼 전에 일본 연수에서 인연을 맺은 분이란다. 박사학위를 받을 무렵엔 남편 회사 통역도 해주시고 귀국해서 강릉으로 내려가기 전에 시댁에서 잠을 자고 갈 정도로 막역한 사이였다 한다. 일본에서 박사학위를 받고 강릉의 모 대학에서 교수로 재직했으나 지금은 '산토미야'라는 식품회사를 경영하고 있다. 사모님께서 일본에 거주할 때 라디오 방송에 나가 한국 음식을 소개도 하며, 일본식 고로케 만드는 법을 배워서 고로케를 만들고 있었다.

뫼 산, 흙 토, 맛 미, 들 야 로 순 한국식 이름이지만 왠지 일본풍의 작명이다. 최 박사님은 아침형 인간이고, 사모님은 야행성이라고 한다. 아침은 온전히 최 박사님이 준비해 놓으셨다. 무슨 어시장에 가서 갓 잡아 온 전복과 해산물을 사 와서 전복죽과 사시미를 준비했다.

동글동글한 얼굴에 반짝이는 눈동자가 예쁜 사모님은 잠이 덜 깼는지 입을 가리고 하품했다. 너무 이른 시간에 초대받아 황당했다고 말했다. 최 박사님은 커튼을 좌르르 걷더니 밖을 보라고 했다. 동해의 붉은 해가 수줍게 올라오고 있었다. 따스하고 밝은 빛이 비치기 시작할 때 우리의 볼은 붉게 상기돼 있었다. 와인을 한 잔씩 마셨기 때문이다.

강릉에 와 있으니 편안한 장소에서 해돋이를 보여주고 싶어 초대했단다. 그리곤 주문 제작한 편백나무 침상에 앉아보라고 했다. 편백나무 향이 향긋하고 침상은 매끄러워 잠시 누워있고 싶었지만, 피규어가 진열된 곳을 보여준다고 해서 바로 일어섰다. 정리 정돈이 잘 되어 있고 먼지 없이 반들반들해서 금세 움직일 것 같은 생각이 들었다. 명상과 수련을 한다는 다도방은 일본식 다다미방으로 꾸며 놓았다. 모든 청소는 최 박사님 전담이라고 했다. 우리집 집안일은 삼십 년 동안 나 혼자 했는데, 부럽기도 하면서 이상했다.

식사를 마치고 왕산으로 향했다. 왕산에는 절을 운영할 수 있는 토지와 집이 있는데 언제든 사용하고 싶으면 이야기하라고 했다. 왕산에서 얼마를 가니 '산토미야' 공장이 나왔다. 공장에는 하얀색 모자와 작업복을 입은 사람들이 기계에서 무슨 일인가를 하고 있었고, 사모님도 환복을 하고 나와서 일을 준비했다.

사무실 한켠에는 일본 차들이 진열되어 있고, 쪽문을 열고 나서니 소나무 수백 그루가 열을 맞춰 심어져 있었다. 소나무도 길러서 분양한다고 한다. 차를 마시고 더 구경시켜 줄 것이 있다며 임당성당 앞에 있는 잔디정원이 정갈하게 꾸며진 집으로 안내했다. 내부는 다다미방과 거실, 침실로 꾸며져 있고, 세컨 하우스가 바로 옆에 위치해 있으니 언제든 와서 쉬어가도 된다고 했다. 이제는 끝인가 하고, 남편의 얼굴을 보았다. 그때 또 갈 곳이 있다고 했다. 고로케를 만들기 위해 감자밭을 통째로 샀는데 저장하기 위해 창고를 본가 옆에 지었다고 가자고 했다. 강릉에는 부자가 많다고 하더니, 이분인가? 제1, 제2, 제3 저장 창고가 있는데, 지금 보여주는 곳은 제2 저장고라고 했다.

우리가 도착하니, 최 박사님의 어머니께서 나오셔서 맞아주셨다. 어머니도 뽀글머리셨는데, 머리카락이 은색이다. 집에서 땄다는 붉은 대봉감을 내어 오셨다. 달달한 감을 한 입 베어 물고 정갈한 집안을 보고 있으니 최 박사님의 꼼꼼함이 어디에서 유래 됐는지 짐작이 갔다. 마당에는 따지 않는 산수유나무가 있다.

내가 좋아하는 시 중에 고 김종길 님의 '성탄제'에 산수유는 아버지의 사랑을 표현한다.

성탄제

어두운 방 안에
빠알간 숯불이 피고,

외로이 늙으신 할머니가
애처로이 잦아드는 어린 목숨을 지키고 계시었다.

이윽고 눈 속을
아버지가 약을 가지고 돌아오시었다.

아 아버지가 눈을 헤치고 따 오신
그 붉은 산수유 열매 -

나는 한 마리 어린 짐승,
젊은 아버지의 서느런 옷자락에
열로 상기한 볼을 말없이 부비는 것이었다.

이따금 뒷문을 눈이 치고 있었다.
그날 밤이 어쩌면 성탄제의 밤이었을지도 모른다.

어느새 나도
그때의 아버지만큼 나이를 먹었다.

옛것이라곤 찾아볼 길 없는
성탄제 가까운 도시에는
이제 반가운 그 옛날의 것이 내리는데,

서러운 서른 살 나의 이마에
불현듯 아버지의 서느런 옷자락을 느끼는 것은,

눈 속에 따 오신 산수유 붉은 알알이
아직도 내 혈액 속에 녹아 흐르는 까닭일까.

남편과 최 박사님이 기다란 작대기를 들고 우수수 우수수 털어 냈다. 붉은 알알이 산수유 열매가 가을 낙엽처럼 쏟아져 내렸다. 어딘가에 있다는 논과 밭은 차후에 보기로 하고 다정하고 인자한 어머니께 작별을 고하고 새벽에 받은 초대가 오후에나 끝났다.

갈바리의원

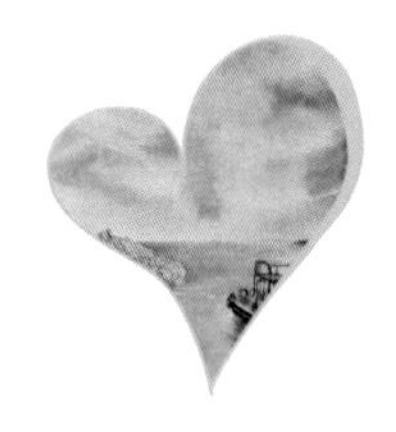

"당신은 외롭지 않습니다.
우리가 항상 당신 곁에 있겠습니다."

갈바리의원은 우리나라 최초의 호스피스병원이다. 성모승천 관구인 한국의 마리아의 작은 자매회가 호주 성령 관구를 통해 1963년 1월 강릉 갈바리 언덕에 세워졌다.

메리포터라는 한 여성을 통해 가장 위험한 처지에 놓인 영혼을 구하기 위해 한국에 왔다. 메리포터 수녀는 평생을 폐결핵과 선천적 심장 장애, 만성 기관지염, 유방암, 류마티스 관절염으로 고생했다.

메리포터는 악한 이의 고통을 이미 알고 있었고, 고통 중에 성모님의 사랑을 실천하며 위대한 모성애를 보여주었다. 메리포터가 받은 특별한 은총은 '갈바리 십자가 아래에 계시는 성모 성심'과 하나 되어 하느님의 자비를 구하고 임종자들을 성모님처럼 돌보아 주며 함께하지 못하는 임종의 자리에는 기도로서 도와주는 것이다. "임종의 순간"이 영혼의 구원을 좌우하는 만큼 믿는 사람들이 임종을 잘 맞이하도록 돕는 일이 예수님의 마음에 드는 일임을 깊이 새기는 것이다.

10월 둘째 주 토요일은 삶과 죽음에 대한 가치를 다시 한번 생각해 보는 "호스피스의 날"이다. 호스피스는 라틴어의 어원인 손님 또는 '손님 접대', '손님을 맞이하는 장소'로부터 기인되며 주인과 손님이 서로 상호 돌보는 것을 상징한다. 갈바리 의원은 임종 환자가 그의 마지막 생을 가족들과 친지들에게 둘러싸여 평온하게 최종의 날을 맞도록 도와준다.

정성어린 사랑의 돌봄, 마지막 순간까지 인간의 품위를 지닐 수 있도록

의료적, 정서적, 사회적, 영적인 간호를 제공한다. 갈바리 의원의 내부는 가정생활을 하는 것처럼 내부 정원이 있으며 병원 특유의 상징을 지워냈다. 자연이 주는 순리 안에서 피는 때가 있으면 지는 때가 있다는 것을 자연스럽게 받아들이게 도와준다. 또 메리포터는 이렇게 말했다.

"아낌없이 주십시오 별로 줄 것이 없다면 친절한 말 한마디, 따뜻한 눈길, 미소라도 주십시오"

우리의 여행도 수많은 파도를 넘어 석양의 안온한 빛을 벗 삼아 수평선을 넘으려 한다. 강릉 여행은 인생의 디딤돌처럼 우리를 견고하게 해주었다. 언제나, 늘, 항상, 감사하며 남은 여정을 기쁘게 살아야겠다.

잠옷 입고 떠나는 여행

김영희

여행의 재발견

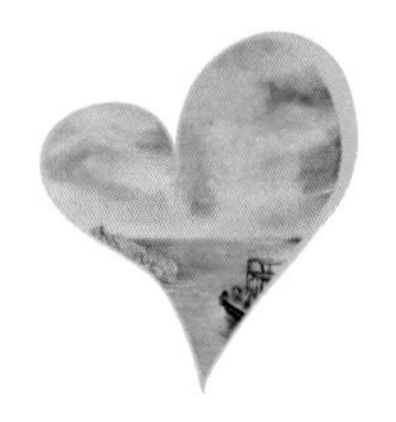

'여행'의 사전적 의미는 '일이나 유람을 목적으로 다른 고장이나 외국에 가는 일'을 말한다. 여행을 계획할 때, 가장 먼저 결정해야 하는 것이 무엇일까? 일반적으로는 어디로 떠날 것인가 하는 것이다. 여행지가 우리에게 안겨주는 의미는 뭘까? 새로움, 호기심, 경험의 욕구, 탐험. 그곳을 알고 싶다. 그곳에서 쉬고 싶다. 그곳이 그립다. 정도로 정리해 볼 수 있겠다.

우리는 왜 여행하는 걸까? 여행이 마음을 넓혀준다는 것에 동의하지 않는 사람은 없을 것이다. 익숙함으로부터 멀어지는 일이기에 나의 공간이 넓어지는 순간이고 나의 육체와 정신이 무한의 넓이로 확장하는 시간일 터이다.

그렇다면, 물리적인 공간의 이동만이 여행일까? 원거리 이동만이 여행이라 할 수 있을까? 5일마다 열리는 동네 시장이 여행 장소로 부적합할까? 여행의 사전적 의미가 다른 고장이나 외국에 가는 일이라고는 하나, 우리가 여행에서 얻고자 하는 것이 명확할 때, 장소가 가져다주는 의미는 크지 않음이 분명하다.

새로운 경험, 기쁨, 쉼, 행복이 여행의 목적 중 하나라고 할 때 표정에서 드러나는 환희가 여행의 장소에만 국한될까? 여행이란 그곳이 어디든 누구와 함께든 상관없이 그 목적에 부합할 때 언제 어디든 누구와 어떤 모습으로든 바로 할 수 있는 것이다.

사진 속 아이는 “놀이터 여행 떠나자!”라는 엄마의 말에 지금 있는 모습 그대로 문밖을 나서서 마치 태어나 처음 시소를 타는 듯이 환희의 모습을 보여준다.

즉흥적 여행만을 말하자는 것이 아니다. 여행의 목적을 생각해 볼 때 굳이 거창하지 않아도, 준비가 철저하지 않아도 언제든 여행은 가능하다는 것이다.

책 탐험을 떠나자며 도서관에 간 아이의 모습은 또 어떤가? 세상 어디에도 없는 호기심 어린 표정과 기대, 그리고 즐거움과 설렘이 가득한 모습이다. 아이에게는 모든 것이 새롭고 여행 아닌 순간이 없다.

어른이 잃지 말아야 하는 것이 바로, 매 순간 새롭게 하기 ‘동심’이다. 그렇게만 할 수 있다면 공간의 제약 없이 언제든 떠날 수 있는 것이 여행이 될 수 있고 멀든 가깝든, 여행에서 장소가 주는 의미가 크지 않을 수 있다. 그렇다면 우리가 여행에 돈을 많이 투자할 이유가 있을까?

생활 속 어디서나 여행을 발견할 수 있다. 이것이 바로, ‘여행의 재발견’이다.

세상에서 가장 가치 있는 시간

익숙한 곳을 떠나는 것이 여행이지만 주체에 따라 목적은 달라진다. 업무적인 여행은 출장이라 표현하듯 여기서 여행은 일로서의 떠남은 제외한다. 우리는 여행할 때 쉼이나 휴양을 목적으로 하기도 하고 새로운 경험을 위해 떠나기도 한다. 더러는 현실의 문제에서 벗어나기 위한 도피성 여행을 하기도 한다.

진정한 여행은 발견이다. 여행을 통해서 많은 것을 발견하지만 진정한 발견은 다름 아닌 나를 발견하는 일이다. '아, 낯선 곳에서, 이렇게 할 수 있구나. 아, 내가 낯선 이를 대할 때 이렇게 하는구나.' 때로는 광활한 세상에서 점보다 작은 나를 발견하기도 한다. 나를 발견하는 것은 세상에서 가장 가치 있는 시간이다.

같은 곳을 여행해도 다른 것을 느낄 때가 있다. 카스파르 다피드 프리드리히의 「뤼겐의 백악 절벽」에 세 사람처럼 같은 곳에 있지만 각각 삶에 대한 열정, 운명에 대한 겸허함, 삶의 초월함을 느끼기도 한다. 내 속에 무엇이 있는가를 발견하는 것, 세상과 내가 어떻게 어우러져 살아가는지를 발견하는 일이 진정한 여행이 아닐까 한다.

미친 듯이 밤낮으로 최선을 다해도 채찍질해대는 세상 속에서 나를 발견하는 일은 서울 한복판에서 낙타 타기만큼이나 어렵게 느껴진다. 순간순간 찾아오는 복잡함 속에서 잠시 벗어나, 세 번의 심호흡을 하고 지금 느껴지는 감정을 가만히 들여다보는 것만으로도 여행의 목적을 달성할 수 있다.

어쩌면 삶이란 죽음으로 떠나는 여행이 아닐까? 우리는 누구나 죽음으로 떠나는 여행자다. 떠나기 전, 나와 떠날 장소에 대한 탐구가 선행되어야 한다. 우리가 이곳에 온 이유와 나는 나를 얼마나 행복하게 만들었는가에 대한 돌아봄, 자신을 얼마나 잘 돌보았는가에 대한 평가가 시시때때로 행해져야 한다.

가장 먼 곳으로의 여행, 어쩌면 가장 가까운 곳일지도 모를 그곳으로 떠나기 위해 우리는 방문하는 모든 장소와 사람에게 최선을 다하고 오롯이 그 시간에 머물러야 할 것이다. 그것이 진정한 여행의 목적이 아닐까?

첫 번째 장소에 도착했을 때 그 시간에 오롯이 머물지 못하고 다음 장소를 물색하는 사람이 많다. 숙제하는 여행자다. 여행의 목적을 잊은 지 오래된 사람처럼 TO/DO LIST에 줄을 긋는 사람들, 진정한 여행자라 할 수 없다.

얼마나 많은 장소를 섭렵했느냐가 여행의 성공 여부를 결정짓지 않는다. 얼마나 많은 '새로운 경험을 했느냐'가 여행의 질을 결정하지 않는 것처럼. 여행의 가치는 얼마나 나를 알아냈느냐에 달려 있다.

아이들은 자신을 알아내기 위해 애쓰지 않아도 어떻게 하면 행복해지는지 귀신처럼 알아차린다. 실시간으로 까르르 웃고 자신을 즐겁게 만들기 위해서 어떻게 해서든 무엇인가 찾아낸다. 그곳이 어디든지 상관없이 여행지가 되고, 누구와 있든 상관없이 동행자가 될 수 있는 이유다.

여행에서 얻고자 하는 게 무엇인가? 즐거움, 새로운 경험, 쉼, 일상으로부터의 탈출? 그 무엇이든 상관없다. 거창한 준비가 없어도 지금 당장 떠날 수 있다. 나를 돌보고 행복을 느낄 수 있는 여행이라면.

혼자 하는 여행도 좋지만, 함께 하는 여행의 맛은 또 얼마나 진하고 시끌벅적한가? 준비단계부터 배가 산으로 올라간다. 여행의 목적이 저마다 다르기 때문일 것이다. 누군가는 쉬고 싶고 누군가는 관광을 즐기고 싶고 누군가는 그 둘을 적당히 섞고 싶어 한다.

나에게 일생일대의 도전이었던 미국 여행이 그랬다. 누군가는 그랜드캐년의 웅장함을 느끼기 위해서, 또 다른 누군가는 라스베이거스의 화려함 속에 파묻히기 위해서 떠났지만 나는 살아 돌아오기 위해 떠났다.

중증 우울증과 불안장애를 앓았던 나는 심하지는 않지만, 공황 증상도 있었다. 그래서 나에게 있어서 비행은 그 자체가 죽음의 문턱과 같은 것이었다. 목숨을 건 도전이었고 삶에 대한 처절한 몸부림이기도 했다. 선택할 수 있었고 가지 않을 수도 있었다. 미국 여행을 강행한 이유는 오로지 하나였다. '살아서 돌아오는 것' 단 한 가지.

미국 여행에서 얻은 게 무엇인지 아는가? '나는 무엇이든 할 수 있는 사람이다'라는 것을 알게 되었다. '진정한 나'를 찾은 것이다. 오랜 마음의 병도, 나를 살리기 위해 애썼던 시간도, 끝내 극복해 내지 못했던 두려움을 미국 여행에서 살아 돌아옴으로 비로소 알게 되었다. 나는 무엇이든 할 수 있고 스스로 살아낼 수 있다는 것을. 얼마나 위대한 발견이고 가치 있는 일인가? 진정한 나를 찾는 시간이.

올해 봄 여행했던 괌에서도 변덕스럽고 습한 날씨를 이겨내듯 마음의 무기력도 이겨냈다. 맛있는 음식을 먹고 사랑하는 막내 이모와 곳곳을 다니며 가족의 끈끈함도 맘껏 느꼈다. 여행이라는 것은 이겨내게 하는 힘이 있다. 미처 알아차리지 못했던 관계의 소중함도 일깨워준다. 함께하는 여행의 묘미다.

'나'를 발견하고, '또 다른 나'인 '타인'을 발견하는 시간, 세상에서 가장 가치 있는 여행의 시간이다.

익숙한 공간, 낯설게 하기

문학에는 '낯설게 하기'라는 기법이 있다. 일상화되어 친숙하거나 반복되어 참신하지 않은 사물이나 관념을 특수화하고 낯설게 하여 새로운 느낌으로 표현하는 것이다. 익숙한 장소를 낯설게 하여 새롭게 받아들이게 된다면 어떻게 될까?

일상으로부터 단절, 다른 방으로 이동하면 가능해질까? 내 대답은 '가능하다'이다. 다른 '방'으로라고 했다. 다른 곳으로도 아닌, 다른 방으로? 그렇다. 먼 곳이 아니라, 내가 있는 그곳에서 즉시 여행을 시작할 수 있다는 말이다.

소음으로부터의 해방, 소음 속에서도 가능한가? 역시 내 대답은 '가능하다'이다. 그것도, 즉시 가능하다. 관점의 전환으로 모든 것이 가능해진다.

20년 교육사업을 하면서 그중 10년은 공부방을 운영했다. 옆방으로 출근하는 것이다. 같은 공간이지만 생활 공간이면서 일터다. 두 아이를 키우면서 공부방 운영을 했는데 그 속에서 아이는 잘도 자라주었다.

꼬마 교사가 되어 수업에 참여하기도 했고 수강생의 공감 능력을 한껏 올려 주기도 했으며 영어 말하기 실력을 높이는 것에 일조하기도 했다. 어떻게 그것이 가능했겠는가? 관점의 전환이다. 아이는 배워야 하는 주체인 동시에 교사가 될 수 있다는 발상의 전환이 있었기에 가능한 일이었다.

자, 그렇다면 옆 방으로 여행은 어떨까? 나만의 거창한 공간이 아니어도 좋다. 한 평이면 충분하다. 익숙한 곳을 낯설게 하고 나만의 여행공간으로 만들어 보자. 꿈꾸는 여행지가 있다면 인쇄해서 붙이고 지구본이 있다면 휙휙 돌려가며 여행의 기분을 한껏 즐겨보는 것도 좋다.

관계로부터의 여행을 하는 것은 어떨까? 사람과의 단절이 아니라 지금껏 익숙하게 연결 지어진 관계를 낯설게 하는 것이다. 깊은 이해를 위한 일시적 거리 두기다. 만나고 이어지는 대로 관계를 지속하는 것이 아니라, 서로를 깊이 이해하기 위해서는 어느 정도 거리를 두는 것이 필요하다.

여행을 마치고 돌아오면 뭔가 정리가 되는 것을 느낀다. 때로는 인생의 전환점이 되기도 하고 익숙함이 오히려 낯설게 느껴지기도 한다. 우리가 살고 있는 공간에 대한 고마움과 함께 살고 있는 사람에 대한 감사를 새롭게 느끼기도 한다. 돌아올 곳이 있기에 떠남에도 의미가 있다.

'익숙한 곳, 낯설게 하기'는 현재 상황을 개선하는 데에도 도움을 준다. 여행이 정리의 목적이 있는 것처럼 현실을 객관적으로 볼 수 있게 하고 달리 바라보기도 하며 입체적인 관점에서 여러 방향으로 해결책을 모색할 수 있도록 도와준다.

어떤 곳을 누구와 여행하든지 상관없이 순간마다 '낯설게하기 기법'을 활용해 보길 바란다. 여행이 더 풍성하고 유쾌해질 것이다.

내 아이와 함께 떠나는 마음챙김 제주도 여행

김윤주

“아이의 하루는 어른의 1년과 같다.”라는 말이 있듯이 아이의 시간은 정말 소중하다. 그래서 우리는 오늘도 내 아이와 많이 웃고 사랑하는 하루를 만들기 위해 배우고 연습하고 노력한다. 엄마와 즐겁게 놀면서 생각과 감정을 공감받고 웃었던 경험이 많아질수록 아이는 오래 기억하고 정서적 성장을 잘할 수 있다.

마음속에 엄마와 웃고 놀았던 행복하고 따뜻한 기억은 인생에서 크고 작은 문제들로 힘들고 지칠 때마다 다시 일어설 수 있는 힘을 주고, 더 좋은 방향을 제시하는 원동력이 되어 줄 것이다.

요즘 엄마들의 인터넷 검색 주요 키워드로 ‘아이랑 함께 가볼 만한 곳’, ‘아이랑 놀이법’과 같이 아이와 함께 놀기 위한 장소나 놀이 방법이 자주 검색된다. 우리 엄마들은 잘 알고 있다. 아이들이 엄마랑 함께 놀이할 때 가장 즐겁고 행복해한다는 것을.

인생에서 매일 행복할 수는 없지만, 행복을 만들어 가는 이 순간이 행복일 것이다. 특히 아이와 함께하는 여행에서의 상호작용은 엄마에게 아이에게 서로에게 집중하는 순간을 만들어 줄 수 있어서 참 좋다.

작년 11월 초, 5살 아이와 단둘이 제주도 여행을 떠났다. 푸른 바다와 아름다운 자연 풍경은 처음으로 아이와 함께하는 소중한 시간을 더 소중히 만들어 주었고 서로의 마음챙김을 도와주었다.

제주시장에서 새로운 경험과 만남, 그리고 맛있는 푸드테라피

제주도는 다양한 맛과 특산물로 유명한 지역이다. 제주도 시장에서 맛있는 음식을 맛보고 현지인들과 교류를 통해 경험과 만남을 얻으면서 일상에서 느끼지 못하는 새로운 활력과 치유를 느낄 수 있었다.

제주도 시장 명소로는 동문시장이 있는데, 제주시에 위치하고 있으며, 다양한 음식과 물건을 살 수 있는 전통 시장이다. 시장 안에서 아이와 함께 거닐면서 신선한 해산물, 제주 특산물, 그리고 각양각색의 음식을 즐길 수 있었다. 또한 제주도의 전통문화와 제주어를 경험할 수 있는 곳이기도 했다. 또 다른 곳은 제주 관광 1번지로 불리는 서귀포 올레시장이다. 해산물과 특산물을 구경하고 구매할 수 있는 시장이면서 제주 올레길 코스에도 포함되어 문화행사와 축제를 통해 큰 인기를 얻고 있었다.

아이와 함께 시장을 돌아다니며 음식을 맛보고 현지인들과 이야기를 나누며 즐거운 시간을 보냈다. 다양한 맛과 향에 대한 감각을 느끼며 마음과 몸이 풀어지는 느낌을 받았다. 제주도 시장에서 맛있는 음식을 먹으며 일상에서 느끼지 못하는 즐거움과 치유의 시간, 아이와 단둘이 함께하는 이 순간이 참 귀하고 행복하다는 생각이 들었다.

자연과의 소통을 통해
마음의 안정감 찾기, 바닷가 놀이

아이들은 놀이를 통해 자신의 마음을 이야기하고 경험하며 세상을 배운다. 놀이는 아이들의 성장과 발달을 도우며, 내면의 자아를 표현하는 도구이다. 자신의 생각, 욕구, 감정을 표현하며 현실에서 표현하지 못했던 불안, 좌절, 슬픔, 화남, 공격성을 놀이를 통해 승화한다.

즉, 놀이 안에서 안전하게 문제를 직면하고 이해하고 해결하기 때문에 놀이 과정을 믿어주고 스스로 놀 수 있도록 도와주는 엄마와의 놀이 경험은, 아이들의 자존감과 균형 잡힌 성장을 촉진하고 내면이 튼튼한 아이로 키워 줄 수 있다.

바닷가는 아이들이 창의력과 표현력을 발휘할 수 있는 최적의 놀이 장소이다. 제주도 바닷가의 조개와 소라, 물고기로 아이와 함께 놀이했다. 아이는 바다 생물의 놀이터를 만들면서 창의력을 발휘하고 자유롭게 표현했다.

작고 귀여운 조개와 소라를 찾아가며 물고기들을 구경하는 시간을 보내고, 자연과의 소통을 느끼며 마음의 안정감을 찾을 수 있었다. 또한 다양한 물고기들이 서로 다른 행동을 보이는 모습을 관찰하며 생명의 다양성과 조화로운 공존을 배웠다.

제주도 바닷가 놀이 명소로는 협재해수욕장을 추천한다. 투명한 물과 에메랄드 바닷빛은 보는 것만으로 힐링이 된다. 이곳은 산책하면서 드넓은 바다를 감상할 수 있고, 썰물 때면 은모래빛 백사장에서 아이와 함께 조개나 소라 껍질을 찾아보는 놀이를 즐길 수 있다.

또 다른 추천지로는 우도의 서쪽에 위치한 산호해수욕장이다. 천연기념물로 지정되었으며, 모래가 암석과 조개껍질로 이루어져 모래알이 크고 하얀색을 띤다. 모래성 놀이나 예쁜 돌멩이 찾기 놀이가 좋다. 그리고 우도 북동쪽에 위치한 하고수동해수욕장은 바닷물이 얕아서 아이들 물놀이에 적합하고, 해변 승마 체험도 할 수 있어서 특별한 경험을 할 수 있는 곳이다.

바다와 함께 하는 명상의 시간, 내면의 평온함과 마음챙김

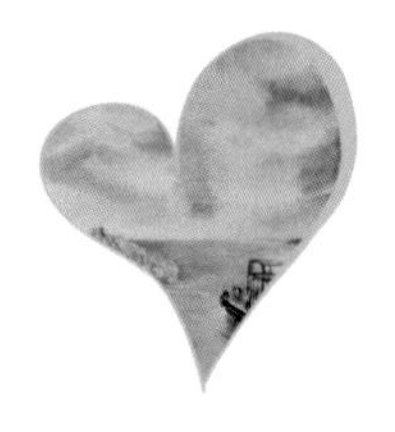

제주도 바닷가는 자연의 소리와 평화로운 분위기로 가득한 곳이다. 파도가 부서지는 소리, 새들의 지저귐, 그리고 시원한 바람이 어우러져 명상을 위한 이상적인 장소이다. 명상 시간은 일상에서의 스트레스와 불안을 해소하며 마음의 안정과 평온을 찾아준다. 또한 새로운 에너지와 활력, 창의성도 불어넣어 준다.

먼저, 명상을 통해 내면의 평온함과 안정을 찾을 수 있는 방법을 알아보자. 명상은 마음을 집중시키고 현재의 순간에 집중하는 심신의 수련이다. 바닷가에서의 명상은 완벽한 환경을 제공한다. 파도 소리를 들으며 숨을 깊게 들이마시고, 시원한 바람을 느끼며 몸과 마음을 편안하게 해주는 자세를 취한다. 이렇게 명상을 통해 주의력과 내면의 평정을 키워 가면서 차츰차츰 내면의 평온함을 찾아갈 수 있다.

이곳에서 아이와 나는 일상에서의 힘들었던 내면의 안정과 평온함을 다시 찾기 위해 명상의 시간을 가졌다. 명상은 바다와 자연 속에서 마음과 몸을 상쾌하게 만들어 주었고, 평온함과 안정을 찾아가는 보람을 느낄 수 있었다. 시원한 바람과 파도가 부서지는 소리는 마음을 안정시키며 집중력을 높여 주고, 새들의 지저귐은 자연의 생명력과 조화로움을 상기시켜 주었다.

제주도 여행을 마치고 돌아오면서, 나는 많은 것을 배웠다. 아이와의 시간이 얼마나 소중한 것인지, 단둘이 아이와 함께한 여행을 통해 아이가 어떤 것을 원하고, 어떤 것이 더 중요한 것인지를 더욱 잘 이해하게 되었다.

이 여행 이후에도 아이와 부산 여행을 함께 했다. 그리고 그것이 나에게 큰 위안과 힘이 되고 있다.

내 아이와 함께 떠나는 마음챙김 제주도 여정을 경험하며 엄마로서의 안정감과 행복을 찾을 수 있었다. 이 특별한 여행의 추억들을 늘 마음에 간직하고 서로에게 소중한 시간을 '지금, 이 순간' 더 소중히 여기며 살아가길 기도한다.

계양산 자락
신앙의 숨결로 숨쉬다

라일

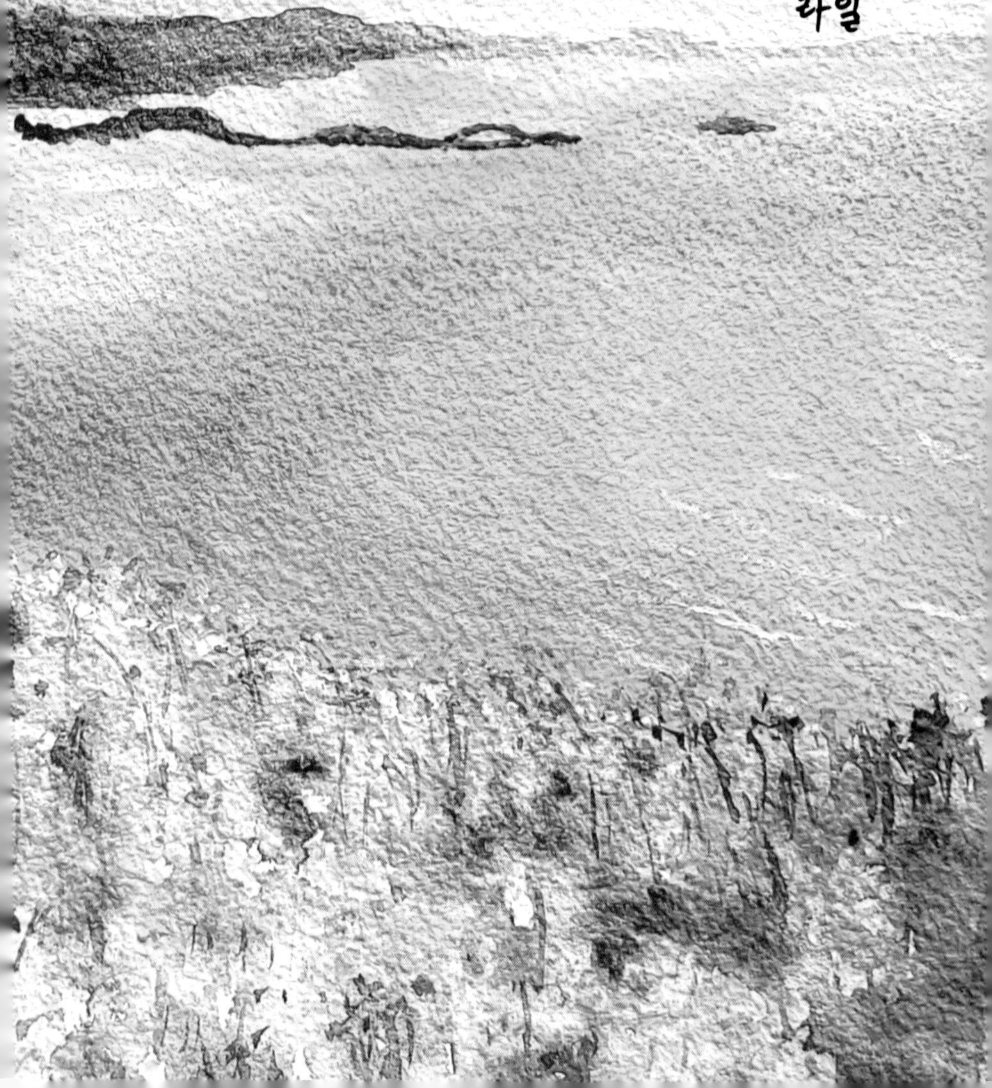

노틀담수녀원에서 성서공부를 시작하다

60세 퇴직하다

사회복지일 10여 년 어려운 이들과의 생활이 전부인 것처럼 느껴졌다. 사력을 다해 보았으나 전력 부족이었다. 어찌어찌 일에서 졸업을 했다. 최선을 다했냐고 묻는다면 반은 그렇고 반은 아니다. 처음에는 마음을 다했을 거고 이력이 붙으면서 느슨해졌을 테다. 일이 힘들어졌고 신앙의 힘으로, 의지로 버텼다. 그래도 누군가를 도우며 살아가는 일이 좋았다. 여하튼 퇴직으로 직장생활을 마무리했다. 시원하면서도 아쉬웠다. 그 마음이 어디서 흘러 들어오는지는 알지 못했다.

의학의 발달로 120까지 사는 세상이다. 60은 청년이라고 정정됐다, 제2의 인생에 대한 기대감에 부풀었다. 빠르게 급변하는 세상, 현실과 이상의 상충과 공존, 선택권은 내 손에서 떠났다. 지금은 정신없이 교육만 받고 있다. 성서 백 주간, 출판, 글씨, 마술에 아로마테라피까지 특히 성서공부 시간은 황금과 같다.

노틀담수녀원에서 성서공부를 시작하다

성서공부는 파올라 수녀와 전철역에서의 우연한 첫 만남으로부터였다. 음료자판기가 맺어준 인연, 성서공부에 목말라하던 내게 기회를 주시기 위한 서사 이야기, 필연으로 다가왔다.

"우리 수녀원에서 100주간 성서교육이 있는데 참여해 보겠어요?"

앞뒤 가리지 않고 "하고 싶다." 대답하는 내 모습을 보게 됐다. 전철 안에서 성서교육 담당 마리에스텔 수녀와 전화를 연결해주었고 담당 수녀는 몇 번의 다짐을 물어왔다.

"네, 그렇잖아도 성서공부를 어디서 해야 하나 고민하고 있었어요"

매주 수요일, 오전, 성서교육이 시작됐다.

하느님께서 평화를 베푸시는 그곳에서 다시 삶을 시작하는 나를 보게 된다. 매주 계양산 자락, 노틀담수녀원에서 성서를 읽고 묵상을 나누고 있다. 주 1회 노틀담수녀원을 가는 길은 경쾌하다. 화창한 날씨까지 더해지면 영화 같은 삶이다. 풍광은 세상 아름다움을 이 작은 마을에 다 모아놓은 듯했다. 인천에서 35여 년 살면서 처음 밟은 대지, 하느님께서 조화로움으로 허락하신 곳 여기서 이야기가 시작된다.

신앙생활의 작은 고백

나는 5대째 천주인이고 유아세례를 받았다. 용산성당이라고 어머니는 알려주셨다. 크게 생각 없이 성당을 다녔다. 성당은 거주지 기준으로 하여 교적을 두고 신앙생활을 유지한다. 예식을 중요하게 생각하기에 성경교리를 하나하나 묵상하는 신교와는 다소 다른 조물주와의 만남이다. 그래서일까 성경 교리에 약하다. 특히 나처럼 선택의 여지가 없을 경우 더욱 그렇다. 그래도 넉넉함이 나와 잘 맞는다. 60 평생에 신앙으로 갈등을 겪은 일은 없다. 신앙생활의 자유 의지를 맘껏 누렸다고 말할 수 있다.

신앙은 양념장이다. 맛을 내는 비법 같은, 그러다 보니 바쁠 때는 양념장에 소홀히 했다. 내 신앙생활은 그랬다. 맛이라고는 다 빠져버린, 힘이 들 때는 원망하고 대항했다. 아마도 조물주께서는 "이놈! 꽤나 골치 아픈 놈이네." 하시면서 허탈하게 웃으셨을지도 모르겠다. 삶은 힘들고 피폐했다. 그곳에서 건져주시려 수없이 단단한 동아줄을 내려주셨을 텐데 자꾸 썩은 줄만 타고 있었다. 오기만 가득했다. 그래도 맘속에는 '언젠가 날 도와주시겠지.'라는 아주 작은 한 줄기 빛이 있었다.

성서교육 첫날 수요일 아침과 마주한다

성서교육을 처음 시작하는 날이다. 햇살이 동서남북으로 길게 뻗어가고 있다. 넓고 파란 물감색 하늘, 마음껏 뛰어노는 구름들, 늘 묵묵히 자리를 지키는 초록 산 그리고 사람들 자취처럼 휘어져 도는 나무, 인공적으로 만든 길까지도 아름다움으로 흡수하는 아침이다. 노틀담수녀원 큰 대문을 정 중앙으로 왼쪽에는 장애인복지관,

오른쪽에는 하느님을 정갈하게 모시는 노틀담수녀원이다. 길을 따라 한참 넋 놓고 안으로 더 들어가 보면 좌측에는 가르멜수녀원이 막다른 길엔 가르멜수도원이 있는 마을, 그 뒤를 병풍처럼 두르는 산을 볼 수 있다. 계양산이다.

잠시 고인 곳을 떠나는 설레임이 시작되는 여행길이 시작된다. 만나는 수녀들은 낯선 이에게도 웃어준다. 묵주를 들고 고요 속에 기도드리다 화들짝 놀라며 수줍어하는 새색시 같은 여린 수녀도 이채롭다. 이 마을의 공기는 레몬향이다.

산소 플러스 산소, 그리고 헤아림, 알 수 없는 두근거림 한 발짝 한 발짝 조심스럽게 수녀원에 노크한다. 무겁고 중후한 철문을 열어주는 수녀, 문에 들어서니 정갈한 책상 위에 놓여있는 성경책들, 그 방에서 나오는 마리에스텔 수녀의 반가운 표정, 삶의 무게는 그 어디에서도 없다. '혹시 나의 길이 하느님과 같이하는 길은 아니었는지' 문득 스치는 생각, 통성명을 하고 자리를 잡아 앉는다. 더 이상의 질문은 없다. 세속적 물음들을 필요로 하지 않는 곳이다. 그래서였을까? 마음이 편하다.

잠시 후 한 명 두 명 자매가 모였다. 신앙에 갈급하며 오로지 하느님만 바라보며 살아가는 이들이 사연들을 안고 그 깊이는 묻지 않고 그냥 성경책을 편다. 마음 가는 복습 구절들을 읽고 새로운 장에서 묵상을 찾는다, 신앙 고백을 하면 누구 하나 토를 달지 않는다. 주님과 나눈 마음을 그저 듣고 가슴으로 받아들일 뿐이다. 성서에 가득 담았을 이야기를 나누는 수녀와 자매들은 서로 존중으로 보호받는다. 사람 사는 일이 이랬으면 좋겠다. 살맛 나는 세상일 텐데 하는 마음, 잠시였다. 더 이상 생각하지 않기로 한다. 그냥 매주 수요일 새로운 지평선이 만들어졌으니 됐다.

신앙의 새로운 시선이 움트다

모두 공부하는 자매는 5명이다. 나의 성서교육 시작에 대해 모두 "그럴 수도 있다니!" 하며 감탄한다. 신앙인은 산다는 일에 사람이 할 수 있는 일은 없다는 믿음을 갖는다. 예전, 나의 모습과 상반된 일이다. 어깨에 힘이 들어갔고 뭐든 다 해야 하는 줄 알았다. 레시피에 나오는 재료를 다 장만하고 순서대로 음식을 만들어야만 되는 줄 알았다. 재료가 하나라도 빠지면, 순서가 틀리면 안 되는 줄 알았다. 아니 큰일 나는 줄 알았다. 60이 되기까지 그랬다. 그래서 힘들었다.

세상이 나를 어렵게 만든다고 생각했다. 하느님께서 도와주지 않는다는 마음이 들었다. 홀로 고군분투하는 것으로 착각했고, 누구도 나를 돕지 않는다고 생각했다. 일이 잘 안 풀렸다. 얼굴은 늘 궁상이었고 우울했다. 살 가치는 있을까? 이런 일이 왜 생기는 걸까? 다른 사람들은 모두 행복해 보이는데 내게는 좋은 일들이 있기는 할까? 부정적인 생각과 마음으로 살아왔다.

오랜 세월 동안 마음에 자물쇠를 걸어 잠갔다. 그리고 열쇠는 어디론가 던져 버렸다. 다시 찾을 일이 없을 거라고, 절대! 그럴 일은 없을 거라고, 살아오면서 잔잔히 은총을 내려주신 것을 전혀 눈치채지 못했다. 그러다 무의식중 하느님께서 돕는다는 마음이 들기 시작했다. 언제부터인지는 모른다. 주변인 대부분이 신앙인 이었고 화두가 '신앙의 힘'이었다. 오랜 시간 동안 조약돌처럼 서서히 '신앙'의 궁금증들이 스며들었다. 그리고 갈급해졌다. 어떻게 해야 '신앙이란 여행 목적지에 도달하는지' 만나는 이들에게 마구 물었다.

계양산 자락과 만나다

사회복지를 시작하다

"언니, 사회복지 공부 한번 해볼래?"

관심 없고 내키지 않았지만, 사회복지사2급 자격증을 취득했다. 직업상담사로 자활상담 일을 할 때였다. 이 일이 인생을 뒤바꾸게 될지 전혀 예측하지 못했다. 그 후에도 같은 직장생활은 지속됐다. 한 사람이라도 자신의 삶을 잘 살았으면 하는 마음이었다. 하지만 과부하였다. 관리장들이 바뀌면서 심리적 일탈이 시작됐고 성과에만 몰입하는 관리자들에게 맞서면서 계속 불편했다. 친한 동료는 퇴사했고 살아남는 자가 되기 위해 이를 악물었다. 직장은 점점 더 악랄하게 몇몇 사람에 의해 내부 결집이 됐다. 그래도 버텼다.

마음은 이미 그들이 뿜어내는 이산화탄소로 숨 쉴 구멍들이 다 막혀갔다. 죽음처럼 견디어 내야 했던 시간들... 야합하지 않아서 겪어 내야 하는 억울함에 내장들이 파열음을 내고 있을 때였다. 우연한 계기로, 아주 작은 일로 회사를 그만두게 되었다. 불가항력이었으나 그 선택은 귀중한 사연 하나로 남게 됐다. 한 사람을 살리시려는 하느님의 작업이었음을 오랜 시간이 지난 후에야 알게 됐다.

새로운 일을 시작하다

어느 날 예전에 다녔었던 구청 직업상담사 전화를 받았다.

"통합사례관리사 모집 기한이 내일까진데 서류를 내 보시라고 전화드렸어요?"

구직에 대한 고민이 있었지만, 실업급여를 수령 중이라 천천히 직장을 알아보려던 차였다.

"제가 다녔던 곳이네요"

우리는 꽤 오랫동안 대화를 나누었다. 두 번 다시 공공기관 일을 하지 않겠다고 했으나 상대방 직업상담사는 겸손했고 다정했으며 따뜻했다. 다시 마음이 일어났다. 이런 사람이 있는 곳이라면 괜찮겠다 싶었다. 다시 구청에서 통합사례관리사 기간제근로자로 근무하게 됐다. 직업상담사로 근무할 때 만났던 간부들도 만났고, 새로운 주무관들을 만났다. 일은 위기가정 대상자를 상담한 후 자원을 지원하여 어려움 해소와 자립을 돕는 것이다. 기간은 2년 보건복지부 소속으로 급여를 받는다. 매뉴얼에 정해진 급여를 받고 일을 한다. 새로운 일이니 마음에 또 불이 붙었다. 그들과 상담하는 일에 진심이었다. 기관들과의 관계도 좋았고 유연했다. 그때까지도 내가 하는 것인 줄 알았다.

2년이 채 되기 전에 타 지역 시청으로 이직도 성공했다. 같은 일이 반복됐다. 동료와의 관계도 좋았고 만나는 관리장들, 담당 주무관들도 무리 없었다. 전 직장 담당 주사, 대상자들이 전화를 걸어와 헤어짐을 아쉬워했었고 '인재를 뺏겼다'다는 말을 듣기도 했다. 교만이 생겼다. 아주 잘하고 있구나 착각했다. 공무직으로 전환되어 정년까지 근로도 보장됐다. 모든 것이 순탄했다. 그리고 무사히 퇴직했다. 직업상담사에서 사회복지사로 넘어오는 길이 예비하심을, 주위의 기도가 있어서였음을 알기까지도 꽤 시간이 흘렀다.

1인1책을 만나다

퇴직 전 2개월 휴가를 받을 수 있었다. 쉼이 필요했고 지쳤다고 마음 가득 생각을 불어넣고 있었기에 움직임이 둔탁해졌다. 퇴직 후 무엇을 할지 찾는 것이 급선무였다. 일은 뒷전이었다. 아주 힘든 사연만 빼고는 대부분 주무관과 후임에게 일임했다. 그들도 이를 받아들였고, 허용해주었다. 당연하고 상처럼 주어지는 보상이라고 생각했다. 이 또한 하느님께서 그들의 마음을 움직이셨음을 알지 못했다. 어리석은 신앙인임을 고백하지 않을 수 없다.

글을 쓰고 싶은 욕심에 한겨레문화센터 1인1책 개강을 목말라했지만 좀처럼 개설되지 않았다. 그러다 강북여성인력개발센터에서 여성부 지원 1인1책 강좌가 개설된다고 했다. 6월~7월, 하지만 남편과의 일정이 조율되지 않았고 근로자여서 포기해야 했었다. 이 길은 다음에, 그러다 마감 바로 전 면접을 볼 수 있었다. 실업자 기준에도 급여 4,500이 넘지 않으면 조건이 된다고 했다. 뭔가 딱딱 맞아떨어지는 기분, 기가 막혔다. 그러면서 조금씩 하느님을 생각하기 시작했다. '내 마음을 아시는 분이시니 가고 싶은 길 가보라 하시며 열어주시는구나!'

이전 생활들을 조금씩 점검해 봤다. 목숨을 살려주신 것 만 해도 많았음을 알게 됐다. 선명하지 않았지만, 남겨진 퍼즐을 맞추다 보면 완성된 그림이 나오겠다는 믿음도 생겼다. 인천에서 강북까지 왕복 4시간 길을 정말 열심히 다녔다. 책을 출간하기 위한 지속적인 기획과 상담, 조언을 통해 나는 성지순례를 결정할 수 있었다. 하우현성당을 다녀오면서 마음이 더 굳어졌다. 전철로 가는 성지순례길에 마음을 담아보기로 했다.

계양산 자락을 만나다

성서교육, 첫날 12시 끝나고 헤어지는 것이 아쉬워 점심 제안을 했으나 모두 바쁘다며 갈 길을 갔다. 곁에 앉아있던 자매가 14처 기도를 같이하겠냐고 물어왔다. 사제들을 위한 기도를 했다. 자매는 일에 매달린 자신을 하느님께서 살리시려 어깨 수술을 받게 하셨다고, 일을 그만두게 되면서 지금은 건강관리를 하고 있다고 했다. 우리는 장애인복지관에서 운영하는 카페에서 손에 걸리는 빵 하나와 커피 한잔을 들고 정원에 나와 많은 이야기를 나누었다. 계양산 장미공원도 말이 나온 김에 가보기로 했다. 꽃을 본다는 일은 내 나이와 잘 맞는다. 주위를 둘러보고 시간과 기운이 있을 때 '지금' 일이 이루어진다는 사실을 알게 되면서 오늘을 주신 대로 맡겨 보기로 했다.

노틀담수녀원 정문을 나서니 곁을 하는 계단이 있다. 그 길을 오르면 계양산이다. 하느님과 가까워지기 시작하는 오늘, 가슴에 뭔지 모르는 몽글몽글 피어오르는 두근거림이 있다고나 할까!! 잠깐 산을 올랐나 싶었는데 바로 길이다. 그 길은 넓고 양옆 수목이 우거졌다. 사람들이 평상에 앉아있기도 하고 단체로 재잘재잘하며 자연에 감탄하기도 했다. 나도 연방 아름답다, 예쁘다, 좋다 쓸 수 있는 미사여구를 끌어모았다. 내친김에 임학역까지 계양산 자락을 걷기로 했다. 그 길에 여치도 있었고 사마귀도 봤다. 조금씩 힘이 떨어져 쇠하는 해를 보면서 "계양산에서 바라보는 노을이 장관이라고, 그 아름다움을 만끽하기 위해 자주 온다."는 자매의 말이 귓전을 파고들었다.

계양산 자락에서 숨쉬다

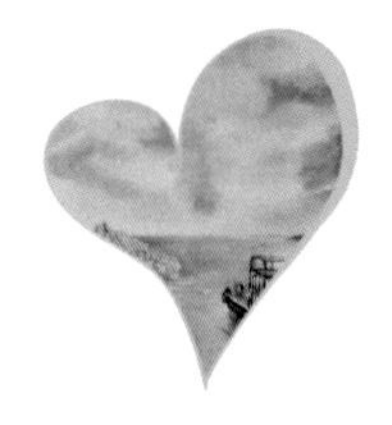

신앙이라는 글 쓰는 작업이 희망이다

강북에서 인천까지 전철로 오는 길에 만날 수 있는 성당과 성지는 수없이 많다. 그 여정 끝에는 내 신앙이 좀 더 커질 수 있을까? 하는 질문이 계속됐다. 성지들에서 느끼는 감정선이 궁금했다, 마음이 간절해졌다. 남편이 잠시 시간적 여유가 생기면서 차로 성지순례를 가기도 했다. 확실히 다른 느낌이었다. 한 곳, 두 곳 성지의 아지랑이가 스멀스멀 가슴으로 스며들어 왔다. 습한 새벽 공기가 숨결로 폐부를 뚫고 들어오기도 했고…. 두 개의 길로 가보기로 했다, 전철로 가는 성지와 차로 가는 성지, 성당도 좋다. 신앙이 가는 길이면 마음은 하나이다.

여행작가 글쓰기 프로그램 정보를 1인1책에서 교감을 나눈 친구로부터 듣고 바로 등록했다. 성지에서 느끼는 나만의 생각을 읽고 싶다. '신앙'이란 마음의 숙제를 하고 싶다. 제2의 인생에서 주어진 숙명 같은 마음을 찾아내는 작업이다. 돌고 돌아왔지만, 나의 삶은 '신앙' 하나로 모아진다는 사실을 알게 된다. 막연하게 간직하던 희망이 바로 '신앙'이었다는 것을 글 쓰는 작업에서 찾는다.

계양산 자락에서 신앙이 숨쉬다

다시 계양산을 오른다. 습관처럼 노틀담수녀원 정문에서 바라보는 풍광을 본다. 수녀와 다른 자매, 셋이서 장미공원으로. 수녀가 장미공원을 소개한다고 하여 이미 본 적이 있다며 아는 척을 하지만 두 번째도 좋다. 산은 언제나 같은 자리에 있고 아낌 없이 사랑을 주는 초록들 그 사이로 쏟아내는 햇살, 또 마음에 담는다. 이 마을에서 신앙을 찾아서 떠나는 여행이 시작되고 살아갈 길에 '신앙'이라는 숨결을 잡는다. 참 오래 돌아왔다.

뜨거운 태양열 속에 있기도 했었고 태풍이 치는 날도 있었다. 끊기지 않을 것 같은 폭우도 견디었고 추위, 더위 그 모든 것들을 겪어냈다. 그래도 봄날은 따뜻했고, 가을은 푸르렀다. 그런 날들에도 늘 신앙이 있었다. 보이지 않을 때도 늘 같이했다. 감사를 알게 될 때이다. 지금도 잘 살아 내고 있으니, 앞으로도 부탁한다는 마음 여행, 계양산 자락에서 신앙이 숨쉰다.

영국살이 낭만 드로잉에세이 프롤로그

박경신 (Jenny)

영국이란 나라,
그 낭만에 대하여

"Love actually is all around." 휴 그랜트의 나래이션이 깔리는 런던 히드로 공항. 영국살이의 희로애락이 파노라마처럼 펼쳐진다. 영원히 사라질 것 같지 않던 강렬한 추억들. 그러나 코로나가 길어지면서 다시 가는 꿈을 포기해 버린 후 기억이 가물가물 아련하다. 그래도 내 인생의 봄날 같았던 소중한 영국 생활 6개월을 기록하고 싶다.

2016년 12월 15일. 두려움과 설레임으로 영국행 비행기에 올랐다. 비용도 줄이고 환승하면서 쉬었다 가려고 하노이 경유를 선택했다. 하노이 공항에서 4시간의 여유가 있었지만, 비행기를 놓칠세라 게이트 앞에서 꼼짝도 안 하고 기다리고 있었다. 그런데 탑승 시간이 다 되어도 게이트가 열리지 않았다. 불안한 마음으로 주위를 살펴보다가 흘러나오는 영어방송에 귀 쫑긋, '이크! 큰일 났다.' 게이트가 정 반대편으로 바뀌었고 곧 출발한다고 빨리 탑승하라는 것이었다. 무거운 배낭과 기내용 캐리어를 끌고 전력 질주를 했다. 큰 짐은 수화물로 부쳤음에도 겨울에다가 6개월 치 짐은 상당했었다.

무사히 탑승하고 보니 영국 사람들로만 가득 찬 비행기. 낯설면서도 설레는 마음. '와우 이제부터 시작이구나.' 그러나 설레임도 잠시, 지루한 비행이 이어졌다. 긴긴 비행에 녹초가 된 채 꼬박 24시간 만에 히드로 공항에 도착했다. 입국수속에서 거절당하면 곧바로 한국행이 될지도 모른다. 어라? 영어가 술술 나오고 대답을 척척 한다. 역시 무대 체질인가? 자발적으론 안 해도 멍석 깔아주면 어떻게든 해낸다. 닥치면 다 할 수 있다! 출발이 좋다.

이미 황량해진 한국의 겨울과 다르게 런던의 첫인상은 '초록'이었다. 아무도 관심 없는 겨울의 초록이 내 눈에만 들어왔다. evergreen 초록이 너무나 푸르고 인상적이어서 영국 그림을 그릴 때마다 눈부신 초록을 표현하려 초록 물감과 씨름했다. 날씨는 생각보다 춥지 않았고 안개가 자욱한 회색빛 흐린 하늘이었다. 마치 6개월이 걱정되는 내 마음처럼. 그럼에도 불구하고 드디어 지구 반 바퀴 돌아서 영국에 도착했구나! 휴우~ 숨을 크게 쉬고 '아자 아자 잘 지내보자!'

새하얀 백조가 유유히 다니는 호숫가. 매일 아름다운 노을을 볼 수 있고 한없이 넓고 파란 하늘을 볼 수 있는 마을, Merseyside Southport 플랫에 나만의 룸이 생겼다. 여고 시절부터 꿈꾸던 독립을 50이 되어서야 누릴 수 있게 된 것이다. 그것도 무려 6개월씩이나!

가구는 작은 소파와 테이블, 침대, 옷장, 거울이 전부인 아담한 방. 카펫이 깔려 있어 포근한 방. 예쁜 별도 달도 보이는 창밖도 예뻤던 방.

낯선 곳에서 안도감을 느끼게 해준 나만의 안식처, 나의 방. 그립다.

내가 살던 곳은 런던에서 6시간 버스로 가야 하는 지역이어서 한국 사람이 없었다. 이것은 한국식당이 없다는 것을 의미한다. 한국식당은 멘체스터까지 나가야 한 군데 있는데 딱 한 번 먹으러 갔다. 적응하는 처음 두 달은 춥고 힘들었다. 거센 비바람 소리는 집이 무너질 것 같은 소음으로 밤새 잠을 설치게 했고, 타운에 나가다 호숫가의 칼바람을 맞고 귀가 떨어져 나가는 고통을 맛봐야 했다. 털모자와 목도리로는 부족해서 귀마개와 무릎담요를 사서 칭칭 감고 돌아왔다. 새로운 곳을 처음 갈 때는 겨울은 피해야 적응하기 쉽다는 걸 절실히 깨달았다. 그래도 봄이 오고 수선화가 피어날 때의 햇살은 너무도 아름다워서 그들 말대로 enjoy sunshine의 맛을 만끽할 수 있었다.

6개월 동안 요리는 안 할 생각이어서 주방은 필요하지 않았다. 빨래는 플랫 1층 Laundry에 맡기면 향긋하게 건조된 옷을 차곡차곡 개서 담아준다. 종종 겨울 니트들이 줄어들어 못 입게 되기도 하지만. Anyway! 6개월 동안 요리와 세탁, 집안일에서 완전히 해방되었다. 나는 한국의 모든 것을 훌훌 벗어버리고 'Jenny'로 사는 것이다. "나는 자유부인이다!"

영국은 주택가와 타운이 구분되어 있어서 필요한 걸 사려면 타운을 나가야 한다. 걸어서 30분, 아무리 빨리 필요한 것만 사더라도 왕복 두 시간은 족히 걸린다. 집 앞만 나가도 편의점이 있는 우리나라가 얼마나 편한지. 그래도 타운에 가면 모든 게 있어서 한 번에 많은 일을 할 수 있는 장점도 있다. 당장 필요한 생필품을 사러 타운에 나갔다.

12월 중순이라 크리스마스 트리가 거리마다 반짝였고 취향 저격인 예쁜 카드샵이 많이 있었다. 크고 작은 카드들은 생일 결혼 등 특별한 날로 구분되어 있고, husband, son, daughter, mum, grandma 등 보내고 싶은 사람도 고를 수 있었다. 이모티콘으로 손카드를 대신하는 편리한 세상에서 살다가 영국은 왠지 과거로 돌아간 느낌이었다. 낭만이 있고 아날로그 감성 가득한 영국이 더욱 맘에 들었다. 타운을 나갈 때마다 카드샵을 들르는 일은 나의 행복한 루틴이 되었다.

가족과 친구를 떠올리며 카드를 고르고, costa 카페 햇살 좋은 창가에 앉아서 나의 일상을 미주알고주알 적고, 우체국에 가서 보낸다. 받을 때의 감동을 상상하며 비밀로 하고 2주 동안 기다리는 아날로그적인 낭만을 즐겼다. 원통형 빨간 우체통만 보면 그냥 반갑고 좋았다. 이때부터 red에 꽂혔나 보다. 그림을 그릴 때 red를 포인트로 넣는 걸 즐겼고 'Red Jenny'라는 별명도 얻게 되었다.

평일 낮에도 남녀노소 반려견까지 대가족이 함께 식사하는 걸 많이 볼 수 있다. 반려견이 자유롭게 식당을 출입할 수 있다. 휠체어 탄 장애인이나 나처럼 연약한(?) 여성들이 오면 벌떡 일어나 문을 열어준다. 친절과 매너가 몸에 배어있는 신사의 나라. 건널목에서 신호를 기다리고 있으면 빨간불인데도 차가 멈추고 건너라고 손짓한다. 차보다 사람을 우선으로 생각해서 사람만 보면 횡단보도가 아닌 곳에서도 무조건 차가 멈춘다. 그래서 모두가 아무렇지 않게 무단횡단을 한다. 이 습관은 한국 돌아왔을 때 특히 조심해야 한다.

lovely와 beautiful을 달고 사는 사람들이다. 6개월 동안 들은 beautiful이 평생 들은 것보다 훨씬 많을 것이다. 표현과 칭찬에 인색한 우리와는 많이 달랐다. 시간여행을 간 것도 아닌데 뜻밖에 난 청춘으로 다시 태어났다. '이런 호사를 누리다니!' 영화 같은 영국살이. 힘들었던 날들마저도 그리움으로 남아있다.

영국살이 꿀팁 1파운드의 비밀

영국 물가가 비싸다고 하는데 내가 경험한 영국은 그다지 비싸지 않았다. 샴푸, 린스, 과자, 약품 뭐든지 1파운드. 바로 1파운드 샵이 있다. 1500을 곱해야 원화가 되는데 숫자에 약한 난 1파운드 동전을 1원처럼 쓰는 오류가 자주 발생했었다. 과일 고기 계란도 1파운드가 안 되고 양도 꽤 많았다. 심지어 과일을 잘 먹지 않는 영국 사람들의 건강을 위해 기차역에 매일 신선한 과일을 놓아둔다. 무료 제공이다. 아뿔싸! 이걸 너무 늦게 알았다는 게 아쉬울 뿐이다.

하나 더! 영국 맥도날드에는 1파운드 햄버거를 판다. 유럽 다른 나라를 가 봤어도 1파운드 햄버거를 파는 맥도날드는 본 적이 없다. 그렇다고 매일 1파운드짜리 햄버거만 먹고 산 것은 아니니 너무 불쌍하게 보시지 않기를…. 종종 맛난 거 먹고 싶은 날엔 Willow Grow와 Hungry Horse에서 폭립과 스윗포테이토칩스를 먹고, Swan에 가서 퓌시앤칩스도 먹고, 멕시칸 레스토랑도 가고, 풀코스 요리를 먹으며 분위기를 내기도 했다. 장이 예민했었는데 부드러운 영국 음식이 소화도 잘되고 나에게 잘 맞아서 배탈 난 적이 한 번도 없었다.

그리고 옷값이 한국보다 훨씬 저렴했다. H&M이나 Zara도 한국보다 저렴하다. 특히 Primark에서 파는 니트는 6파운드(9천 원)인데 촉감이 부드럽고 따뜻해서 색깔별로 사서 입었다. 이곳에서 산 경량 패딩은 지금까지 잘 입고 있어서 다시 영국에 가면 이 두 가지는 꼭 사 올 예정이다.

아, 마지막으로 하나 더! 월 20파운드면 한국에서 쓰던 데이터의 20배를 쓸 수 있고, 월 25파운드, 4만 원 정도면 한 달 동안 데이터를 무제한으로 쓸 수 있어서 이메일부터 폰뱅킹, 영화감상까지 다 할 수 있었다.

문밖은 위험해

영국은 전기 콘센트 소켓이 네모 3개이고 전압은 230V이다. 인천공항에서 멀티 어댑터를 구입해 가면 영국뿐 아니라 유럽 어디서든 편리하게 사용할 수 있다. 커피포트, 드라이기, 블루투스 스피커

등 꼭 필요한 것들을 갖추고 나니 그동안의 피로가 몰려왔다. jet leg까지 겹쳐서 비몽사몽 정신을 차릴 수가 없었다. 겨우 정신이 들어 보면 밖이 어두컴컴했다. 겨울이라 4시면 해가 지고 상점도 다 문을 닫으니 나가도 할 일이 없었다.

호숫가 칼바람에 내 마음도 얼어붙고 영어 공포증까지 생겨서 방문 밖을 나가기가 두려웠다. 문을 열고 나가는 순간 영어 세상이다. 영어만 들리고 영어로 말해야 하는 부담감이 자꾸 커졌다. 영국 도착 며칠 동안 호기롭던 그 자신감은 어디로 가고 자꾸만 방 안에 숨고만 싶었다. 블루투스 스피커로 멜론 음악을 듣고 CBS 음악 FM을 앱으로 들으면서 천천히 밖으로 나갈 마음의 준비를 했다. 음악이 없으면 하루도 버틸 수 없었을 시간이었다.

크리스마스가 왔다. '교회를 가자' 머나먼 타향에서 온 이방인이 되어 영국 사람만 있는 교회에 갔다. 영어 찬양의 가사는 왜 그리 마음에 쏙쏙 와닿는지. 그냥 눈물이 주르르 뺨을 타고 흘러내렸다. 모두가 행복한 크리스마스에 너무나도 어울리지 않았지만, 그날의 위로는 낯선 곳에서 만난 피난처 같았다. 언제든 기댈 수 있다는 안도감과 위안이었다. 처음 만나는 영국 사람들이 "Merry Christmas! Merry Christmas!" 하면서 포옹을 해주었고, 나도 웃으며 "메리 크리스마스!"라고 인사했다. 가장 멀리서 온 사람에 손번쩍 들어서 선물도 받았다. 이렇게 영국에서의 크리스마스는 잊지 못할 진한 추억이 되었다.

첫눈에 반해버린 노팅힐 포토벨로

2016년 12월 16일. 영국 도착 1일 차. 내가 영국에 가고 싶은 이유는 백만 가지였다. 영문학을 배우며 작가와 작품의 뿌리를 찾아가고 싶었고, 영국영화 속 풍경을 보면서 그곳에 가고 싶었다. 그 중 1순위는 휴 그랜트가 나오는 영화 '노팅힐'의 트래블 북샵, 포토벨로 마켓 거리였다. 런던의 지하철 언더그라운드를 타고 노팅힐 게이트 역에 내렸다.

길게 늘어선 거리가 온통 알록달록 파스텔톤의 집들이었다. 예쁜 색 문들에 반해버렸다. 예쁜 상점도 많아서 사진 찍으며 한참을 걸었다. 갑자기 눈에 훅 들어온 파란 색 간판! THE TRAVEL BOOK SHOP, Notting Hill이라 분명히 쓰여 있었다. 우와아 감동, 감동! '휴 그랜트에게 말 걸고 책 사야지.' 잔뜩 기대하고 들뜬 마음으로 들어갔다.

북샵은 기념품 샵이 되어있었고, 휴 그랜트는 보이지 않았다. 급 실망…. 영국에 살면서 보니 기프트샵과 핸드폰 샵은 대부분 외국인들이 운영하고 있었다. 크리스마스 시즌이라 온갖 크리스마스 물품들로 빨강빨강했다. '내일 먼 길을 떠나야 하니 짐을 늘리면 안 돼.' 충동구매를 억누르고, 영국 국기 유니언 잭, 큰 타월을 사는 걸로 만족해야 했다. 거리에서 스타벅스를 보고 고향 친구 만난 듯 반갑기도 했다.

해가 저물고 허기도 져서 저녁 먹을 식당을 찾았다. 영국에서의 첫 식사는 비용이 들어도 근사한 레스토랑에서 먹고 싶었다. 마침 고급지고 멋있는 건물에 따스한 불빛이 새어 나오는 곳에 이끌려 문을 열고 들어갔다. 실내는 만석이라 일단 뒤뜰에 앉았다. 난로를 켜주고 담요도 주면서 자리가 나면 알려준다고 했다. 추천 메뉴를 주문하고 기다리며 춥다고 느껴질 때쯤, 다행히 실내에 자리가 나서 따뜻한 곳에서 식사할 수 있었다.

문득 주위를 둘러보니 영화배우 같은 미남 미녀들의 웃음소리, 간지나는 영국 발음의 이야기 소리, 포크 나이프 달그락 소리, BGM은 크리스마스 캐롤, 아니 이건 영화지 현실이 아니었다. 영화로만 보던 그 분위기 속에 그러니까 영화 속에 들어가 내가 주인공이 되어 그들과 함께 저녁을 먹고 있는 것이었다. '아아! 영국에 오긴 왔구나.' 오늘까지만 꿈속에서 깨지 말아라. 내일부턴 치열한 현실이 기다리고 있다. 오늘은 행복하다!

THE TRAVEL BOOK SHOP
Notting Hill
Notting Hill Craft Shop
LONDON
Jenny 경신

비틀즈와 떼창을~ 리버풀로 Gogo!

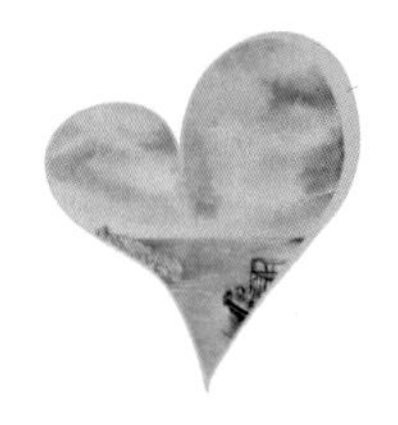

2016년 12월 27일. 영국 도착 2주 차. 시차 적응 끝. '이제 슬슬 세상 밖으로 나가볼까?' 처음 리버풀로 놀러 간 날이다. 기차역에 코스타 커피 자판기가 있다. 기차 타고 나갈 때마다 우리나라 이디야 커피도 전철역에 자판기를 설치하면 좋겠다는 생각을 했다. 카페라테 한 잔 들고 기차를 타고 간다. 40분 정도면 도착하는 기차여행, 낭만의 시작이다. 달리는 차 창 밖으로 보이는 초록 들판에는 솜뭉치 인형 같은 양 떼들이 풀을 뜯고 있다. 12월 말인데도 말이다.

moorfield 역에 내려서 10분 정도 걸어가면 꿈에 그리던 비틀즈 거리 Mathew street가 있다. 비틀즈가 태어나서 활동했던 이 골목에는 Lenon's bar, 비틀즈 기프트샵, 캐번 클럽 등 펍과 레스토랑이 즐비하다. 조금 걸어가면 비틀즈 뮤지엄과 비틀즈 동상도 있다. 가는 날이 장날이라고 비바람이 몰아쳐서 동상과 찍은 사진은 머리가 난리 부르스다. 사진을 볼 때마다 그날의 추억이 떠올라 한바탕 웃게 된다. 여행에서 남는 건 사진이고 또 빠뜨리면 섭섭한 것이 기념품이다. The Beatles 옷을 입은 귀여운 곰돌이 인형 두 마리. 처음 갈 때부터 찜해놓고 6개월을 망설이다가 결국은 사 들고 왔다. 지금도 귀요미 곰돌이들을 볼 때마다 리버풀 거리가 떠오른다.

빨간 문의 Lenon's Bar 그림은 영국에서 그린 첫 번째 그림이다. 리버풀의 첫 외출을 떠오르게 하는 첫사랑 같은 소중한 그림이다.

영국 살면서 가장 많이 갔던 곳이 리버풀이다. '전철 타고 30분이면 나가는 인사동 가는 기분이랄까?' 한국에 돌아온 후 영국에 있는 친구들과 문자 하다가 "나 오늘 리버풀 가."란 말을 들으면 그 흔한 일상이 너무 그립고 부럽다. '나도 오늘 리버풀 가고 싶다.'

전설의 Carven Club

비틀즈 거리에서 가장 핫한 곳은 단연 캐번 클럽이다. 1961년부터 1963년까지 비틀즈가 292번 출연했던 펍이라고 한다. 퀸, 아델, 애드쉬런, 그리고 JTBC 버스킹 프로그램 '비긴어게인'에서 윤도현이 무대에 섰던 곳이기도 하다. 한국 돌아오자마자 이 방송을 보면서 분명 내가 리버풀 갔을 때인데 만나지 못한 것이 너무 아쉬웠고, 내가 다녔던 골목에서 버스킹하는 장면을 추억에 잠겨 봤었다. 캐번 펍 외벽에 있는 명예의 벽에는 이곳을 거쳐 간 뮤지션들의 이름이 새겨져 있고, 존레논의 동상이 벽에 기대어 서 있다. 존레논과 팔짱도 껴보고 똑같은 포즈도 해보면서 사진을 찍었다.

드디어 캐번 펍으로 입장~. 어두컴컴한 벽돌 계단을 빙글빙글 돌며 한참을 내려갔다. 지하동굴 같은 곳에 두 개의 무대가 있고, 각각 라이브 공연을 하고 있는데, 서로 전혀 방해되지 않는 것이 신기했다. 비틀즈의 음악을 연주하는 트리뷰트 밴드의 소리가 들리는 쪽으로 갔다. 비틀즈 노래가 계속 나오니 너무나 들뜨고 신이 났다. 소리가 너무 커서 대화는 불가능하다. 그냥 마시며 노래를 듣고 즐기는 것이다. 그러다가 갑자기 마음을 녹이는 반주가 나온다. 바로 Let it Be! 비틀즈의 마지막 앨범 불후의 명곡 Let it be!! 모두가 약속이나 한 듯 따라 부르기 시작했다. “힘들고 우울한 일도 시간이 가면 다 지나가니 내버려 두어라~ let it be~ let it be 렛잇비이이~.” 우스갯말로 “냅둬유~ 냅둬유~” 하면서 목이 터져라 소리 높여 모두가 떼창을 했다. 그때의 그 뭉클함도 지금까지 강렬하게 남아있다.

런던 Abbey Road

한국으로 들어오기 전 2주 동안 런던에 머물면서 마지막으로 가야 할 곳을 정했다. 비틀즈 멤버들의 횡단보도 앨범을 찍은 애비로드는 안 갈 수가 없었다. 가까운 것도 다행이었다. 여기서 잠깐, 런던에서는 거리에 따라 교통비가 많이 비싸지고 지하철과 기차를 같이 이용해야 해서 교통편을 잘 알아보고 가야 한다. 기차 노선이 갑자기 없어지거나 바뀌거나 지연되는 일은 허다하므로 여러 노선을 확인해야 한다. 또한 지하철에선 데이터도 와이파이도 안 되기 때문에 핸드폰으로 아무것도 검색할 수 없다. 미리 찾아서 캡쳐해 두지 않으면 당황하게 된다. '사람들이 영국 물가가 비싸다고 하는 것은 런던의 교통비 때문이구나' 싶었다.

ABBEY ROAD NW8 /city of Westminster 표지판을 찾았고 그 횡단보도에서 기념사진도 찍었다. 생각보다 차들이 많이 다니고 있어서 여러 번을 시도하여 겨우 횡단보도 사진을 건졌다. 그리고 기념품 샵에서 비틀즈 에코백, 티셔츠, 뺏지, 마그네틱 등을 사 들고 왔다. 한국에 돌아온 후 예술의 전당에서 하는 존레논 전시를 다녀왔다. 캐번클럽도 재현해 놓았고 음악을 들을 수 있는 뮤직룸, 영상 등 다양하게 비틀즈를 회상할 수 있어서 너무 좋았다. 아직도 let it be만 들으면 떼창 하던 그날이 떠오르고 내 마음은 캐번 클럽으로 날아간다.

취업과 결혼, 출산과 육아, 아내, 엄마, 며느리, 사회인으로 치열하게 살아내느라 나를 위한 나만의 삶은 없었다.

Gate

50이 되어서야 모든 것을 놓고 떠날 수 있었다. 떠날 수 있게 먼저 제안해 주고 6개월의 자유를 선물해 준 남편에게 감사한다. 지금 취준으로 힘든 청춘들, 바쁘고 정신없이 살아가는 워킹맘들! 꿈을 꾸며 오늘을 살아가길 바란다. 지금의 시절이 지나면 나의 시간이 올 것이라고! let it be의 노랫말처럼.

6개월의 영국살이 중 극히 일부분. 이 글은 프롤로그에 불과하다. 영국의 브라이튼부터 에든버러까지, 셰익스피어 제인오스틴 워즈워드, 뮤지컬, 서울-제주 가듯 쉽게 가는 유럽여행, 극적인 에피소드 등 남은 이야기들은 다음 프로젝트에 쓸 수 있기를 바라본다. 글을 쓰면서 다시 영국에 가는 꿈을 꾼다. 이번에는 내가 남편에게 휴식을 선물할 차례이다. "영국은 처음이지? 내가 안내해 줄게" 내가 그린 코티지에 함께 머물면서, 코츠월드 마을을 한가로이 산책하고, 티룸에서 애프터눈티를 먹으며 창밖 코티지를 그리고 있는 내 모습을 그려본다.

제주 한 달 살기 도전
첫눈에 반한 우도 사랑에 빠지다

박증섭

제주 한 달 살기 도전(D-1) 출발 하루 전의 준비와 설렘

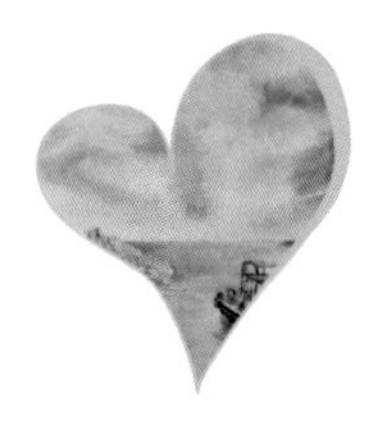

1.

드디어 제주 한 달 살기를 실행에 옮기기로 했다. 외국이나 국내 어느 곳이든 한 달 살아보기는 은퇴자들의 로망이다. 직장인이 할 수 없는 일을 시간 부자인 은퇴자들은 할 수 있는 특권 같은 것이다. 시간과 경제력이 어느 정도 바탕이 되어야 하지만, 무엇보다 의지가 중요한 일이다. 강의 일정을 앞뒤로 조정하여 한 달을 비웠다.

아내와 함께 한 달 살기 위한 숙소 정하기, 차량 문제 등을 조율하고 검색했다. 한 달 살기를 하면서 사치스럽게 고급 숙소를 찾는 것도 격에 맞지 않는 일이고 여러 가지 경비도 고려해야 했다. 가급적 큰 비용이 들지 않는 곳을 찾아 검색했다. 여행은 준비하는 과정의 즐거움이 크다고 하지만 선택을 위해서는 많은 고심이 필요하다.

숙소는 한 곳이 아니라 제주도를 세 곳으로 나누어 정하기로 했다. 처음 1주일은 제주 동남쪽 성산일출봉 일대 숙소를 정했다. 제주 동남쪽을 탐방하고 특별히 우도를 방문할 계획이다. 다음 17일은 제주 서남쪽 지역인 송악산 근처의 펜션을 이용하기로 했다. 제주에서 유명한 관광지가 몰려 있는 곳이라 기대가 컸다. 그 나머지 1주일은 돌아올 때 공항 가까운 북쪽 지역 숙소로 자리를 잡았다. 한 달 총숙박비 120만 원으로 하루 평균 4만 원으로 해결했다. 제주에 있는 동안 아들딸이 며칠 동안 오기로 했고, 처제가 제주에 왔다 잠시 합류하기로 했다.

차량을 어떻게 할지 고민을 많이 했다. 배낭여행 하면서 필요할 경우 택시를 이용할까 아니면 아예 승용차를 렌탈할까 생각해봤다. 렌탈비를 확인해 보니 성수기 시작으로 하루 17만 원이라 한다. 아내와 상의 끝에 승용차를 가지고 가기로 했다. 요즘 차를 집에 와 가져가서 배에 실어 현장에서 인계해 주는 편리한 탁송시스템이 있다는 것을 알았다. 하루 전 자가용을 탁송으로 보내고 우리는 비행기를 타고 제주로 가면 된다. 비행시간이야 1시간 10분이고 미리 가서 대기하는 시간까지 합치면 왕복 3시간 남짓 걸리면 된다. 돈은 직접 배를 타고 가는 것보다 더 들지만, 편리한 장점이 있다. 차량을 전적으로 위탁하는 것으로 하고 62만 원에 계약 체결했다.

한 달 살아가며 입을 옷가지를 챙겨 큰 트렁크에 차곡차곡 짐을 넣었다. 옷도 남쪽 지방이니 좀 가벼운 옷을 주로 넣었지만, 아침 저녁 서늘할 것을 대비하여 좀 두꺼운 옷도 준비했다. 활동복과 속옷, 양말을 챙겨 넣고 세면도구와 먹던 약도 빠짐없이 챙겨 넣었다. 며칠 다녀오는 여행도 아니고 한달살이로 완전히 집을 떠나는 일이다. 생활에 필요한 물품을 하나라도 빠뜨리면 현장에서 다시 사야 한다.

며칠 전부터 백지 한 장에 생각나는 대로 적어 놓고 짐을 챙겼다. 노트북과 배터리 등 폭발할 수 있는 물건은 배낭에 넣었다. 무게 나가는 책 등은 트렁크와 함께 차에 실려 보내기로 했다. 운동화 두 켤레와 샌들 그리고 산에 올라갈 것을 대비해 폴도 챙겼다. 사는 동안 발라야 할 스킨, 로션, 선크림 등도 빠지면 안 될 필수품이다. 가끔 아침을 해결하기 위한 누룽지와 반찬 몇 가지 종류도 아내는 챙겨 넣었다.

2.

짐을 다 쌓아 놓으니 큰 트렁크가 두 개, 작은 배낭들이 여러 개, 음식 넣은 스티로폼 박스 등 거실 한편에 가득했다. 비행기 타기 하루 전, 차를 먼저 보내야 해서 차 트렁크와 뒷자리에 짐을 옮겨 싣고 기다렸다. 아침 8시 30분에 약속대로 탁송업체 직원이 차를 가지러 왔다. 업체 직원은 차량의 외부를 구석구석 사진으로 찍어 우리 카톡으로 전송해 줬다. 만일, 운송 중 차량 손실이 있을 때 변상 문제가 발생하기 때문에 철저하게 대비하기 위함이란다. 고객을 성실이 모시려는 태도가 공손하고 예의 발라 신뢰를 주었다. 아내가 그를 보고 한마디 건넨다.

"여기 아파트 아줌마들 관심 있는 사람 많아요. 아마 만족하면 소개해달라는 사람들 많을 거예요"

벌써 동네에 한달살이 간다는 소문이 나서 성당 식구들을 포함에 여러 아줌마가 관심을 두는 것 같았다.

"고맙습니다. 최선을 다해 고객님이 만족하실 수 있게 하겠습니다."

하면서 많이 소개해 달라고 부탁한다.

짐을 다 실어 차를 보내는 데 묘한 생각이 스쳐 간다.

'그래! 이제 시작이다. 그동안 직장 다니며 다람쥐 쳇바퀴 돌듯 바쁘게 살았는데, 이제 숨 좀 쉬며 자유롭게 생활해 보는 거다.' 작은 설렘이 짜릿하게 전달되어 온다. 평소 꿈처럼만 생각해 오던 한달살이를 체험해 볼 시간이어서다. 살아오면서 이렇게 오랜 기간 여행을 한 적은 없었다.

한 달 동안 서울을 떠나 제주에 간다고 하니 지인들이 관심이 많다. 요즘 당구 배우느라 거의 매일 얼굴을 보는 회원들이 관심을 두고 묻는다.

"좋겠네요! 그런데 누구하고 가요?"

"아내하고 둘이 가는데요" 하고 대답하면 반응이 여러 가지다.

"아내하고 둘만 가서 뭐를 하고 지내요? 거기 누가 있어요?"하고 묻는다.

부부 둘만 그렇게 오래도록 있는 것을 어색해하는 분위기다.

"우리 같으면 별말이 없는데~" 하며 말끝을 흐리기도 한다.

부부가 함께 여행을 떠나본 경험이 없어서 그런 것 같다. 어떤 부부는 여행 가면 꼭 싸운다는 부부도 있다. '어디로 갈까?'부터 갈등하며 다툰다는 것이다.

부부가 함께하는 경험도 좀 익숙해야 할 것 같다. 우리는 일찍부터 부부가 같이 다니고 여행도 많이 해 익숙해졌다. 오히려 여러 사람 눈치 안 보고 편하다. 이제 나이 들면 부부밖에 없다는 말이 맞는 말이다. 부부가 대화를 많이 하고 서로가 양보하며 살아야 한다. 그래야 여행도 함께 하고 좋은 시간도 보낼 수 있다. 한달살이가 기대된다.

첫눈에 반한 우도

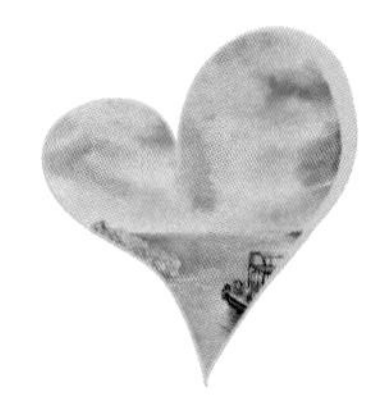

1.

제주 1일 차, 우도로 가자! 우도는 일 년 내내 쪽빛 바다 빛깔을 자랑하는 곳으로 매년 200만 명의 관광객이 찾는 관광명소다. 우도를 가려면 제주도 성산항이나 종달항 두 곳에서 출발한다. 어느 곳이든 약 15분 정도면 우도에 도착한다. 우리는 성산항에서 출발하기로 했다. 성산항 4월 우도 배 시간은 오전 8시부터 저녁 6시까지다. 우도를 나오는 마지막 배는 오후 6시다. 5월은 7시 30분부터 성산항을 출발하고 우도를 나오는 배는 6시 30분까지로 시간이 바뀐다. 배 출항 시간은 4월은 30분 간격으로 출발하나 성수기에는 10분 간격이다. 요금은 왕복 요금으로 10,500원이다. 돌아올 때는 아무 배나 나오고 싶을 때 타면 된다. 15분 타는 뱃삯치고는 비싼 듯싶으나 우도에 들어가려면 별다른 방법이 없다.

표를 끊고 드디어 배에 오른다. 말로만 듣고 멀리서 보기만 하던 우도에 들어가는 순간이다. 우도에 사는 현지 사람이나 하루 숙박하는 사람 외에 차는 못 가지고 들어간다. 할 수 없이 차를 성산포항 공용주차장에 세워 놓고 배에 오른다. 어디든지 내 차로 가고 싶어 차를 가져왔는데 아쉽다. 차는 배 1층 칸에 몇 줄로 정차시켜 놓고 관광객은 2층 객실이나 3층 갑판 위로 올라가야 한다. 3층 갑판 위로 올라갔다. 바람이 좀 불기는 하지만 15분 정도야 버틸 만하다. 가까이 성산일출봉이 보인다. 오늘은 날씨가 최상이다.

배는 항구를 떠나 큰 바다로 나온다. 잠시 항구 쪽을 벗어나 방향을 바꾸니 길게 누워있는 우도가 보인다. 마치 소가 누워있는 형상이라 하여 붙여진 이름이란다. 우도에 들어가는 항구는 천진항과 하우목동항 두 곳이 있는데 우리 배는 하우목동항으로 뱃머리를 향한다. 맑은 날씨 탓에 바다가 마치 푸른 물감을 풀어 놓은 듯하다. 잠시 후 물살을 가르며 긴 물길을 만들던 배는 선착장에 차와 사람들을 풀어놓는다.

처음 발을 내딛는 우도의 풍경이 매우 이색적이다. 도로에 삼발이 전기 자동차가 한쪽으로 줄을 이어 달린다. 1인용부터 탑승객 수만큼 크고 작은 전기 자동차가 해안 도로를 따라 달린다. 주로 교통수단이 일반자전거, 전기자전거 그리고 전기 자동차다. 아니면 우도를 순회하는 순회 버스를 이용하면 된다. 버스는 6,000원 자유 이용권으로 어디서나 내리고 탈 수 있는 교통수단이다.

우도 올레길은 걷기 좋아하는 사람들에게는 최상의 코스다. 총길이 11.3㎞로 약 4시간 정도면 된다. 주로 해안 가까이 돌지만, 중간에 볼거리도 많아 전체 시간은 더 잡아야 한다. 자동차는 숙박하는 관광객을 제외한 일반 관광객은 통제하니 거리에 차량으로 붐빌 일이 없다. 섬 천체를 돌아도 교통신호도 없고 물론 교통경찰도 없다. 전기 자전거는 종일권이 2인승 기준 30,000원 전기차는 오전 권 20,000원 오후 권 25,000원으로 다소 비싼 편이다. 하지만 당일치기하는 사람들에게는 여유 있게 섬 전체를 돌기에 꽤 좋은 수단이다. 연인끼리 왔다면 강력히 추천한다. 좋은 추억여행이 될 수 있어서다.

2.

무엇을 타고 돌까하다 기왕이면 우도 올레길을 걸으며 발로 체험하기로 했다. 관광객들은 대부분 탈 것들을 타고 걷는 사람들은 많지 않아 보인다. 최소한 4시간을 걸어야 하기 때문이다. 우도는 짝수 홀숫날에 따라 도는 방향이 다르다. 짝숫날인 오늘 교통수단은 항구에서 왼쪽으로 시작하여 한 바퀴를 돌아온다. 올레길을 걷는 데는 규정이 없으니 우리는 오른쪽으로 방향을 잡았다. 바다를 끼고 걷는 길이 환상이다. 가는 곳마다 찍는 사진이 다 작품 사진이다.

바다가 예쁘고 해안도로를 끼고 달리는 전기자전거 전기차량이 마치 동화의 나라에 온 것 같다. 육지를 둘러보아도 야자수가 심어진 현대식 건물인 콘도나 호텔 등도 좋은 환경에 한몫한다. 낮은 크기로 지어진 전통가옥은 또 어떤가? 빨강 파랑 색깔이 입혀진 지붕이 화산 돌로 쌓아 놓은 돌담 속에 머리를 웅크린 거북목처럼이나 귀엽게 느껴진다.

항구를 떠나 걸은지 얼마 안 되어 우도의 8경 중 하나라는 서빈 백사장을 만났다. 천연기념물 제438호로 지정된 홍조단괴 해변으로 구성된 백사장이다. 해양 조류 중 하나인 홍조가 해안으로 쓸려와 퇴적한 것으로 홍조단괴 산호 해변으로 불리는 곳이다. 마치 팝콘을 튀겨 놓은 것 같은 홍조 단괴의 모습을 손으로 담아 보았다. 흰 백사장에 에메랄드빛 바다가 너무 아름다워 발걸음이 떼어지지 않는다. 춥지만 않다면 금방이라도 바닷물에 뛰어들고 싶은 곳이다. 조금 지나 날씨가 따뜻해지면 아마 이 해수욕장은 발 디딜 틈도 없이 해수욕을 즐기는 사람들로 붐빌 것이다.

아침 먹고 일찌감치 커피 한 잔을 사서 바다를 바라보며 여유를 즐긴다. 서빈백사장을 지나 계속 걷다 보니 멀리 성산일출봉을 배경으로 사진을 찍을 수 있는 포토존이 있다. 성산일출봉을 사진틀에 넣고 '찰칵' 기념사진 한 컷을 찍는다. 천진항을 향하는 길목에 드렁코지가 있다. 예전 사람들이 처음 우도에 들어왔던 곳이란다. 천진항에는 우도에 도착하는 사람과 떠나는 사람들로 분주하다. 천진항을 떠나 돌칸이에 가는 길가로 돌담과 돌탑이 길게 이어져 있었다. 누군가 한층 한층 정성스럽게 쌓아 올렸을 기원돌탑들이다.

돌탑을 지나 조금 더 걸음을 재촉하니 지석묘 하나가 길 한중간에 버티고 있었다. 지석묘에서 멀지 않은 바다에 한반도 지도 모양의 현무암 바위 '여'가 있다. 마침 10시부터 14시 사이에 썰물로 물이 빠져 '여'를 볼 수 있었다. 신생대 제4기 홍적세(200만 년 전) 동안 화산분출 시 바닷속에 형성된 현무암질로 흡사 한반도 지도처럼 생겼다. 어찌 되었든 한반도 모양의 형상을 보면 우리나라가 잘 되게 해달라고 기도가 절로 나온다. '무궁화 삼천리 화려강산, 하느님이 보우하사 우리나라 만세!'다

잠시 걷다 보면, 저 앞 절벽 위로 오름이 보이는데 그것이 소의 머리처럼 생긴 우도봉이다. 툭 튀어나온 기암절벽은 소 얼굴의 광대뼈와 흡사한 모습이다. 바로 이 기암절벽과 해안이 소의 여물통에 해당하는 것으로 비경을 이룬다. '돌칸이'란 소의 여물통이라는 뜻으로 '촐까니'라고 불렀고 '촐'은 '꼴' 또는 '건초'로 말이나 소에게 먹이는 먹이며 '까니'란 큰 그릇을 의미한다. '돌카니'는 '촐까니'가 와전된 말로서 즉, 소의 '여물통'을 뜻한다고 한다. 돌카니의

절벽과 파란 바닷물이 어우러져 이곳은 천연의 아름다움을 한껏 뽐내고 있었다.

경치에 취해 있는데 자전거 여행하는 노신사 한 분이 우리에게 말을 걸어온다.

"저 위에, 카페에 올라가 보세요. 아주 뷰(view)가 죽입니다. 제가 세 번째 여길 왔는데 그전에는 이 카페가 없었거든요. 오늘 와보니 외국이 따로 없습니다"

자전거 동호회 활동을 하는 아내가 자전거를 보더니 반가워 맞장구를 친다.

"자전거 타고 오셨나 봐요?"
"예 저는 자전거를 가지고 왔습니다"
"어디서 오셨어요?" 하니

"저는 문경에서 왔습니다. 한 달 지내려고 왔는데 숙소는 서귀포 친구네 펜션을 100만 원 주고 예약했어요. 중간 중개인을 끼지 않으니 한 20만 원 싸게 있습니다. 방 1개, 거실 1개 그리고 취사도구 세탁기 등 살림 도구 일체가 갖춰져 있어 환경 좋고 깨끗합니다"

혼자 왔다며 묻지 않는 말을 하는 것을 보니 말동무가 그리웠나 보다.

좋은 정보라며 친구가 하는 펜션 전화번호를 받아 적었다.

"한 번 올라가 보세요. 후회하지 않으실 겁니다"
"우린 커피를 조금 전 마셨는데요"
"아니 커피 안 마셔도 괜찮으니 올라가서 구경만이라도 좀 해보세요. 아주 좋습니다"

그 말을 듣고 안 가보면 후회될 것 같아 인사를 나누고 카페로 올라갔다. 올라가 보니 과연 '돌카니' 절경이 한눈에 내려다보인다. 그냥 갈 수 없어 카운터에 가서 부탁한다.

"우리가 커피를 방금 한 잔 했는데 한 잔만 시키면 안 될까요? 여기 다녀가시는 손님이 하도 경치가 좋다고 해서요."

일부러 찾아왔다는 말에 주인이 연신 "감사합니다"를 연발한다. 값은 다른 곳보다 비싼 7,500원을 지불했다. 그렇게, 마신 커피를 또 마셨다. 장소는 돈이 아깝지 않을 정도로 만족했다. 햇빛은 있었지만, 야외 의자에 앉아 저 멋진 절경을 보니 세상 부러울 것이 없었다. 유럽의 어느 나라 관광지보다 못하지 않은 분위기였다. 얼마나 앉아 쉬었을까? 우두봉을 향해 걸음을 옮겼다.

3.

우두봉이 있고 등대가 있는 쇠머리 오름은 높이가 132.5m이다. 우도에서는 제법 고봉에 속하는 오름이다. 우두봉 이쪽은 항이 있는 뒤쪽이어서 농가가 많은 농촌지역이라 할 수 있다. 우두봉을 돌아가는 길가마다 돌담으로 둘러싸인 밀밭들이 있어 시골 정취를 듬뿍 풍긴다. 유럽에서는 빵이 주식이라 스페인 갔을 때, 끝없이 펼쳐진 밀밭의 모습을 보았던 생각이 난다. 이곳은 화산지대여서 땅이 척박하니 논은 보이지 않고 밀밭이 심심치 않게 눈에 띈다.

온통 화산 돌로 담벼락을 쌓아 경계해 놓은 모습이 정겹게 느껴진다. 도심처럼 꽉 막힌 시멘트 콘크리트 담도 아니고, 담 위에 철조망이나 유리 조각까지 촘촘히 박아놓은 삭막한 담이 아니다. 바람도 드나들고 다람쥐도 드나들고 아니 밖에서 안이 훤히 들여다보이는 돌담들이어 더욱 정이 간다. 사람과 사람 사이에 벽이 있다는 것은 얼마나 삭막한 일인가? 돌담을 보기만 해도 속이 시원히 뻥 뚫리는 느낌이다. 우두봉에 올라서니 사방이 한눈에 내려다보인다. 비록 높지 않은 오름이지만 우도봉에 오르니 바다에 떠있는 뗏목 위에 타고 있는 기분이다.

잘 걷던 아내가 다리가 아픈지 전기자전거나 전기차가 지나가는 것을 보면 부러운 듯 눈길이 오래 머문다. 평소 오래 걸으면 발바닥이 좀 아프다 하여 무리하지 않기로 했다. 늦은 점심을 우도 땅콩 마을에서 먹기로 했다. 땅콩 마을 언저리에 경치가 멋진 식당을 발견하고 자리를 잡았다. 식당 이름이 '띠띠빵빵이다.'

식당 앞 파라솔에 앉아 바다 전망을 감상하기에 이보다 좋은 곳이 없었다.

"어머, 여기 정말 뷰가 장난이 아니에요!"
아내가 연신 감탄을 쏟아낸다.

"정말 최고의 경관이네!" 나도 감탄사가 절로 나온다. 내가 보아도 이런 곳에서 식사할 수 있다는 것은 수십만 원의 가치가 있어 보인다. 어찌 되었든 좋은 분위기에서 최고의 경치를 감상하며, 우도에서 유명한 해물짬뽕과 수제 돈까스를 시켜 맛있게 먹었다. 바다를 배경으로 의자에 앉아 멋지게 폼을 잡고 사진도 한 컷 찍었다.

우도와 사랑에 빠지다

오후 5시 배를 타기 위해 좀 더 서둘러야 했다. 우도 땅콩 마을을 떠나 비양도 입구에서 기념 촬영을 하고 하고수동 해수욕장을 향해 걸음을 재촉했다. 물이 깊지 않아 얕은 모래가 다 보이고 물놀이하기에 최적인 해수욕장 같았다. 하늘과 땅이 한 색깔로 이어진 듯하다.

돌아오는 길은 해안가에서 벗어나 육로를 택했다. 시골 동네 구석구석을 살펴볼 좋은 기회였다. 역시 밀밭 가운데 돌담과 낮은 지붕의 전형적인 해안가 집들이 보였다. 돌담으로 둘러쳐진 집에서 아낙네가 지나가는 관광객을 넘겨다본다. 이 집은 특별히 대문도 없다. 너른 공터에는 바다에서 따온 다시마 같은 것을 널어놨다. 화장품 재료로 쓰인다고 한다.

우도에서 내려 커피 한잔할 때 커피집 아가씨가 말해줬다.

"이곳은 집집이 해녀들이 살고 있어요, 정년이란 게 특별히 없으니 80살 먹은 할머니도 물길을 하죠"

"정말 그렇겠네요. 정년 없는 직업이라. 그거 그럴듯한데요"

정년이 없다는 말이 확 꽂힌다. 많은 직장인이 한창 일할 나이에 회사를 떠나지 않았던가.

100세 시대를 이야기하고 있는 요즘이다. 겨우 60세에 정년퇴직이라는 명목으로 강제로 회사를 떠나야 했다. 일을 그만두어도 좋을 만큼 여건이 갖추어진 사람들은 소수에 불과하다. 그런데 해녀들은 힘이 닿는 한 바다와의 끈을 놓지 않는 것이다. 해녀들도 60세 정년이 있다면 얼마나 힘들었을까 싶다. 평생 해오던 일이 쉽지, 새로운 일을 찾아 적응하기란 몇 배 더 어렵기 때문이다. 나름 힘도 들고 어려움도 있겠지만 바다에만 들어갔다 나오면 돈이 생기니 이만한 직장도 없을 것 같다.

이런 생각을 하며 길을 걷는데 우도의 특산물인 땅콩 아이스크림집이 보인다. 그냥 놓치고 갈 수 없어 떠나는 배 시간을 챙겨가며 아이스크림을 시켜 맛을 본다. 고소하게 입안으로 녹아드는 맛이 피로를 풀어준다. 언제 또 오게 될지 몰라도 뚜벅이 걸음으로 우도를 한 바퀴 돌았다는 것은 추억이 될 것 같다. 대부분 오면 쉽게 전기차 빌려 타고 한 바퀴 돌고 휙 떠나는 게 보통인데 우린 구석구석 발자취를 남기고 간다.

놀멍쉬멍 아침 8시 반에 우도로 들어와 저녁 4시 45분 여객선을 타고 우도를 떠난다. 가수 이장희 씨는 울릉도를 보고, 화려했던 미국 생활도 육지 생활도 다 버리고 울릉도와 사랑에 빠져 울릉도에 산다. 이제 가면 언제 또 오게 될지 모른다. 기약 없는 이별을 앞두고 동화 같은 우도를 떠난다. 한 층 사랑에 빠져서~

"우도야 잘 있거라. 안녕!"

가깝고도 먼 그대와

소은순

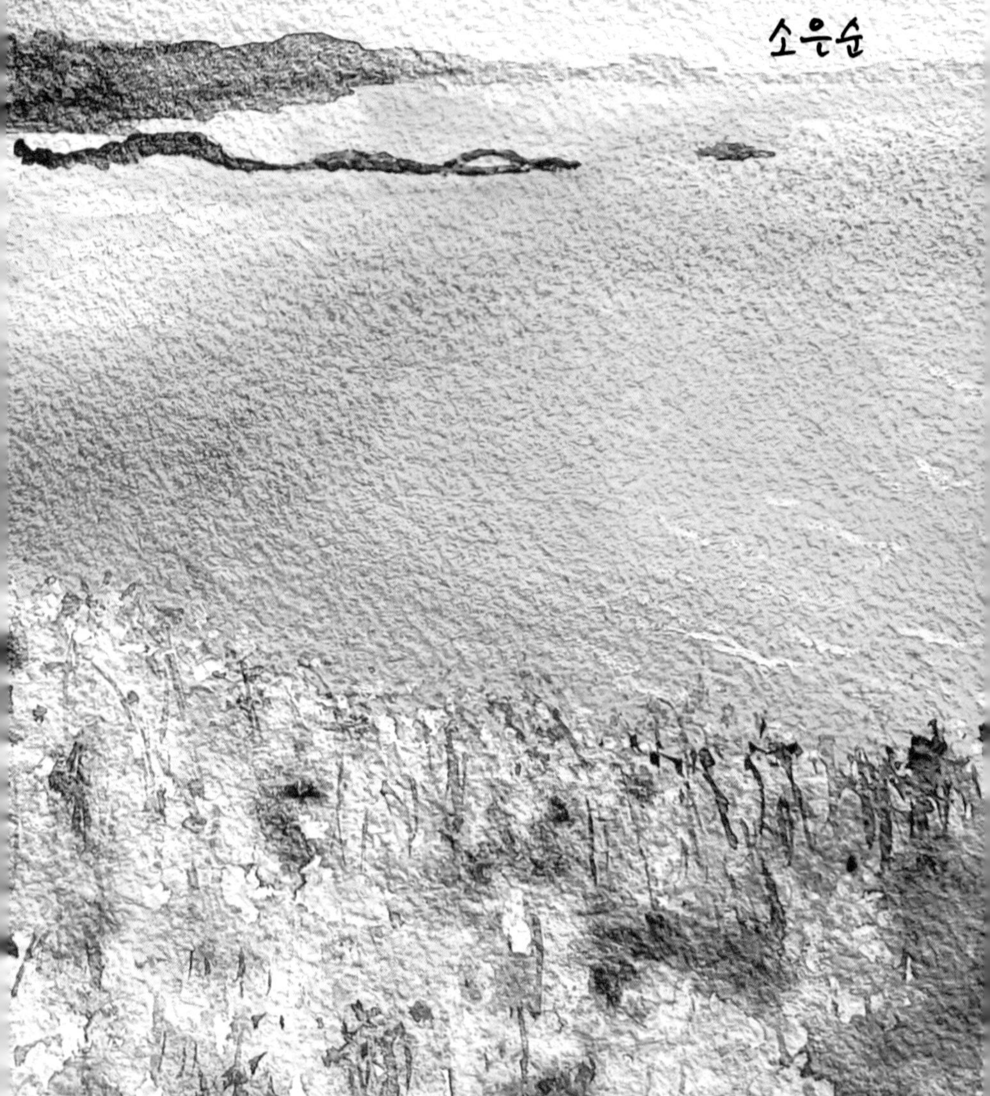

떠나다

플로피 입구 정면에서 항상 나와 딱 눈이 마주치는 녀석이 있다. 삼성 SM3 흰색, 우리 승용차다. 이 차와 눈이 마주칠 때마다 섬찟 놀라듯이 살짝 마음들이 교란된다. 떨림, 소요, 불안, 기쁨, 기대, 이런 여러 가지 통합된 감정이 내 세포에 퍼지는 것 같다. 저걸 타고 가깝고도 먼 그대와 제주도를 갈 예정이다. 나는 그대와 결혼할 때 8월 15일에 하려고 했다. 그렇지만 요일이 맞지 않아 할 수 없이 8월 19일에 했다. 그대와 8월 15일 광복절에 결혼함으로 혼자의 고독과 외로움의 갇힘으로부터 해방됨을 기념하려는 생각에서였다. 혼자로부터 떠나 그대에게 가면 행복할 거라 여기며 그렇게.

그런데 둘이지만 혼자의 외로움은 항상 존재하는 것인가 보다. 혼자로부터 떠나 그대에게 간 것처럼 다시 더 둘이 되어 보려고 그대와 함께 떠날 계획을 세워보았다. 자꾸 떠나 보는 거다. 퇴직하기 몇 달 전부터 이미 그대와 퇴직 기념 여행이라도 해보려고 결심했었다. 내 계획은 처음부터 제주도는 아니었다. 지금은 흔하게 외국 여행도 자주 갈 수 있는 세상이 되었다. 하지만 우리는 아직 해외여행을 해보지 못했다. 그래서 하다못해 베트남이나 태국이라도 갔다 오자고 생각했다. 그런데 여행사에서 가는 것은 싫다고 해서 미적거렸고, 또 여행 계획 세우기를 미적거리다 그냥 무계획 제주도 여행으로 결정했다.

그대와 처음 결혼하고 며칠 지나지 않아서 특별한 경험을 했다. 만날 때는 착하고 고집 세다는 정도만 알았다. 그런데 결혼하고 며칠밖에 되지 않은 어느 날 밤이었다. 잠이 들려는 무렵에 '세상에나! 들어보지 못한 우리나라에 없는 거친 외국어 같은 말을 하는 것이 아닌가!' "삐리리 삐리리 " 이제부터 욕 중독부터 시작해서 그대의 여러 가지 중독을 차례로 맛보게 될 줄은 몰랐다.

우리 어머니가 전라도 분이어서 자랄 때 구성진 전라도 욕을 듣긴 했지만 이건 차원이 다른 욕이었다. 물론 "어른이 그런 말을 사용하면 안 되죠!"라고 했지만, 부지불식간에 나오는 것은 틀어막을 수 없는 것. 어느 날 교회에서 예배를 마치고 다 같이 축구를 했다. 거기에는 교회의 목사님도 있었다. 그대가 목사님을 너무 놀라게 해드렸지. 그대가 찬 공을 목사님이 받지 못하자 또 부지불식간에 "삐리리 삐리리" 해버렸기 때문에 목사님은 잠시 정지 화면이 됐었지. 나는 그런 그대에게 화가 나긴 했지만, 그대를 너무 싫어하지는 않았다. 그 외에도 다량의 밥과 콩장, 고추장, 간장 같은 짠 반찬 하나로만 식사하는 탄수화물 중독, 매일 먹는 땅콩 중독, 운전 중독 등. 이건 내가 그대와 기대했던 삶은 아니었다. 그렇지만 나는 여전히 그대와 행복한 삶을 꿈꾼다. 그래서 그대와 한 번 또 떠나 보는 거다.

그대와 전에도 여행이라는 걸 해보았을까? 그대는 추억 중독도 있지. 그래서 봄날 진달래 만발한 고향의 예쁜 사진이 뇌 속에서 지워지지 않아. 봄만 되면 술렁거렸다. 그리고 추수 때가 되면 고구마, 무, 배추밭 영상이 되살아나 또 술렁거렸다. 나는 그런 그대와 항상 함께했다. 그 바람에 봄이면 추억 속으로 우리 SM3 백마를 타고 아무 산이나 뒤지고 다녔지. 특히 그대의 고향과 고향 근처로. 남한강을 낀 그대의 고향은 예전에는 아주 깡촌이었지만 지금은 좋은 투자처로 소문난 곳으로 변해 사람들이 이 구석 저 구석 터를 닦고 있다. 게다가 남한강변은 정비 사업을 해서 강변 양쪽으로 가도 가도 아름답고, 봐도 봐도 아름다움의 연속이다. 나는 저 강변 옆으로 자꾸만 더 가까이 가 보고 싶은데 그대는 항상 휑하고 지나가 버린다. 그때마다 섭섭했다.

나는 늘 외로움을 느꼈다. '이건 그대만 좋아하는 여행이다.'라고 생각했기 때문이다. 그런 여행이란 봄이면 산으로 산나물과 약초 채취 여행 가는 것. 가을이면 고구마, 무, 배추 등 가을걷이 여행 가는 것을 말하는 거야. 추석 무렵 전후로 고구마 추수가 한창이다. 요즘은 기계로 추수한다. 기계가 한번 지나가면 고구마밭 흙이 다 뒤집어지고, 포슬포슬해진 흙 위로는 고구마들이 빨건 알몸을 드러낸 채 줄지어 누워 있으면 아주머니들이 샅샅이 주워 추수 바구니에 담는다. 그런데 그 와중에 절대 안 걸리고 흙 속에 숨죽이고 있는 놈들이 있다. 우리는 그놈들을 노린다. 마냥 삽질이나 호미로 기계가 뒤집은 흙을 뒤집다 보면 바로 그놈들이 딱 걸려 나온다. 간간이 크고 실한 놈이 용케도 숨어 있다 걸려 나온다. 그놈들을 만나면 우리는 "심봤다!" 하고 소리치는 재미가 너무 쏠쏠하다. 그런 식으로 가끔 무, 배추를 얻어와 이웃들에게 나누어 주면 사람들이 신기해하곤 했다.

그대여 그런데 이제 우리도 여행다운 여행 한번 해보면 안 될까? 호캉스, 크루즈, 유럽 여행, 멋진 서비스와 맛난 경험해 보지 못 한 음식들, 거대한 자연경관 등, 뭐 그런 여행 말이다. 그러다가 고작 저렴한 베트남, 태국 정도 가볼까 했다가 무계획 제주도 여행이 되었다. 각자 가 본 적이 있지만 우리 둘이 가 본 적은 없으니까. 내가 퇴직했으니 우리 둘만의 밀접한 시간을 가져보면 좋겠다고 생각했다. 아마도 내가 그대와 나누고 싶은 말이 많은가 보다.

이렇게 우리는 제주도로 출발했다. 비행기 타고 제주도로 휭 가는 것은 재미없다. 우리는 역시 아날로그를 좋아한다. 우리 SM3 백마 타고 가자. 미역 공장을 하는 내 초등학교 친구가 완도에 산다. 가끔 서울에 올라오면 "너도 모임에 나와 오랜만에 얼굴 좀 보자~"했지만 그때마다 나는 나가지 못했다. 가는 길에 친구 얼굴 잠깐 보고 가자고 하니 그대는 흔쾌히 그러자고 했다. 아침에 좀 여유 있게 오전 9시 30분경에 출발하려고 내려와 우리 백마를 향해 걸으면서 두려움, 설렘, 기대, 각오. 평상시 백마의 얼굴을 마주칠 때와 같은 느낌이다.

내가 우리 백마를 특별하게 생각하는 이유가 있다. 그대는 트럭 한 대로 돈을 번다. 트럭 한 대 착한 사장이다. 누군가 친절하게 "최 사장~."하고 세 번만 부르면 손해 보는 계약도 척척 잘도 한다. 그 바람에 영 돈은 못 번다. 처음 만났을 때 '그대는 순박하다.'고 생각했다. 그 순박함이 답답할 줄은 몰랐다. 그래서 고집 센 그대를 얼마나 구슬렸던지 사력을 다한 끝에 그대는 취직을 했다. 나는 재빨리 트럭을 팔고 바로 이 백마를 선물했던 거야. 그런데 그대는 딱 10개월 만에 때려치우고 트럭을 다시 샀다. 그때가 언제인지 꽤 오래됐다. 그래도 나는 그대와 행복하게 살려고 항상 기대한다. 그래서 두렵고 그래서 기대하고 그래서 떨린다. 그렇게 오늘 그대와 떠나는 거다.

갇히다

그대여 오늘은 오롯이 우리 둘만의 시간으로 떠나는 거야. 우리는 백마 안에 갇혔다. 그러니까 우리 둘이 좋은 얘기 많이 나누면서 가자. 그대여 그대는 내가 이런 말 할 때 대답이 없다. 아마 속으로 생각했겠지!.

'또 뭔 말 하려고 저러지 큰일 났다!'

나도 속으로 생각했다. '그대여 너무 경계하지 마! 굉장히 친절하게 말할 거야.'

차창 밖의 세계가 마치 과거에서 미래로 달려가듯 우리와 함께 달려간다. 우리의 60년의 세월이 빠르게 흘러가듯 빠르게 지나간다. 도심의 차량과 건물들 사이를 지나 조금 더 나아가니 산과 들녘과

가로수들이 이어져 우리에게 길을 내준다. 나는 그대를 좋아하니까 그대를 야단치면서 간식으로 또 땅콩을 준비했다. 운전하는 그대에게 땅콩을 내준다. 우리는 말이 없고 평온하다. 그대가 말했다.

"당신 그동안 수고했어."

그대가 나에게 이렇게 고마움이 섞인 대사를 치는 일은 흔치 않다.
수년에 한 번 정도 있을까 말까 한 일이다.
딸을 낳았을 때도 이렇게 말했다.
"당신 수고했어."

이렇게 오랜만에 치는 대사는 진국이다. 그래서 그때만큼은 일체감이 든다. 서로 소통이 잘 되고 있다는 느낌도 든다. 이런 비슷한 말 한마디면 삐졌던 마음도 금방 사그러든다. 이런 일이 자주 있었으면 좋겠다.

처음 만나 데이트를 할 때 식당 찾아가는 취향이 영 못마땅해 '에잇 안 만나야겠다.'하는 생각이 들었다. 그대는 내가 이런 마음일 때 그걸 귀신같이 알고 나를 설득하는 데는 선수다. 그대는 나를 얻기 위해 그 순간만큼은 최선을 다해 집중력을 발휘하는 것 같았다. 진심을 다해 나에게 좋은 점이 많으니, 조금의 부족함은 인정해 달라고 했다. 부족한 점만 보지 말고 좋은 점을 많이 봐 달라고 했다. 나는 내가 속고 싶어서 속은 것을 안다. 나는 그대가 편했으니까. 편한 게 편한 것이 아니라는 것은 살아봐야 안다. 나중에 아는 것은 소용이 없다. 나는 왠지 그대와 행복하려고 자꾸 노력하니까 말이다.

4차선 도로를 계속 지난다. 앞에 직선으로 뻗은 도로가 우리에게로 다가와 우리 차 발밑으로 엎드려 들어가 버리면 왔던 길은 우리 눈앞에서 사라진다. 그래도 계속 도로는 우리 앞으로 다가온다. 그대에게 말을 걸었다.

"만약에 지금 당장 이 도로를 봉쇄하고 오랫동안 놔둔다면 어떻게 될까?

내가 아무리 친절하게 말을 해도 그대는 나의 잔소리에 질렸기 때문에 대번에 '서방 가르치기 선수인 아내의 의도가 뭔가!' 하며 의심한다. 그래서 아예 대꾸를 안 한다. 그렇지만 지금은 여행 중이니까 떨려도 대꾸한다.

"안 다니면 길은 그냥 있지 뭐!"
"아주~ 오래 그냥 있으면?"
"도로가 망가지지"
"아니 그냥 살던 대로 살지 말고 역행해 보자는 뜻으로 한 얘기야 나쁜 습관 좀 고치고~?"
"내 의견 어때!"
"좋아"

우리나라에 지평선이 보이는 지역이 있었나? 해남에서 원도 들어가기 전이니까 땅끝대로 어디쯤이다. 깜짝 놀랄 만한 평원이 나타난다. 갈 양쪽으로 억새풀이 높게 자라 겨울을 견디고 있고 넓은 논과 습지들이 펼쳐져 있는 길이 나온다. 중간중간 학이 늘씬한 걸음을 품위 있게 걷고 있다 후드득 날아오른다. 이럴 때 잠깐 차를 세우면 좋으련만 그대는 마구 가는 걸 좋아한다. 이런 평야를 보는 것은 정말 오랜만이다. 차는 오직 한 대 우리밖에 없다. 우리 둘은 이차에 갇힌 것이 더 분명해진다.

나는 우리 둘의 공간에 목매는 여자다. 사실 요즘 깨달은 것인데 나는 그대에게 중독되었다. 그대를 내 방식대로 만들어서 그대와 행복하게 살고 싶다는 내 마음에 중독되었다. 이런 젠장. 서둘러서 여기를 빠져나가고 싶어서 차를 잠깐 세우자고 하지 않았다.

완도 수목원으로 향하는 길은 다 컴컴해서야 도착했다. 수목원 입구 쪽에 있는 펜션을 예약해서 왔는데 급하게 남은 방 예약하느라 위풍이 센 집이었다. 침대 대신 뜨끈한 바닥에서 자고 일찍 방을 나왔다. 수목원에 가서 잠깐 둘러보았다. 별 의미 없이 보는 둥 마는 둥 관람했다. 건물 기둥 같고 키는 하늘을 닿을 듯이 자란 선인장이 장관이다. 뜽딴지같이 심해 바다 해초 미역이나 다시마가 물결에 잎이 대형으로 펼쳐진 것처럼 생긴 식물도 있었다.

친구를 만날 차례다. 초등학교 동창을 만나 반가워서 부둥켜안고, 손잡고, 애인 보듯 얼굴을 가깝게 디밀고 반가움을 나누었다. 고작 잠깐 차 한 잔 마시고 제주도로 향하는 배를 탔다. 아파트 한 동만 한 크기의 배는 처음 타본다. 그렇게 1,000명쯤 탈 법한 큰 배는 상상하지 못했다. 이 많은 사람이 무슨 이유로 이 배를 탔을까?

이 수백 명과 함께 우리는 또 배에 갇혔다. 이 배가 잠기면 이 수백 명과 함께 바다에 갇힐 것이다. 우리는 거의 마지막에 탔기 때문에 일착으로 내렸다. 여행 경험이 없어서 제주도에 내려서 예약해 놓은 그 저렴한 호텔이 제주 남부에 있는 줄 몰랐다. 50분쯤 걸려서 도착했다.

다음날 올래 시장터 음식으로 점심을 먹고 가까운 천지연폭포로 이동했다. 비가 추적추적 내린다. 귤색 작은 우산을 두 개 구입해 각자 쓰고 형광 귤색 속에 머리만 비를 피하면서 천천히 걸었다. 여기 와 보니 귤의 종류도 굉장히 많은 것 같다.

천지연 안쪽으로 들어가는 길 곁으로 나무에 노란 열매들이 달려 있고 그것은 필시 귤 종류인 것 같다. 아무튼 떨어진 것들을 한두 개 주어서 맛을 본다. 우리는 체취 본능으로 "이것은 귤 종류인데 탱자 같기도 하고 자몽 같기도 한 맛이구나!" 이런 식의 탐구를 좋아한다. 관광지의 아름다움은 인위적인 모양내기가 포함되어 있어서 사람 손 닿지 않은 오지 같은 느낌이 아니면 큰 매력을 느끼는 것 같지는 않다. 그대도 나도 그렇다. 우리는 설마 잘 맞는 거 아닌가! 이런 젠장.

바로 옆에 유람선 선착장이 있다. 유람선을 타니 주상절리 절경을 구경시켜 준다. 직원이 음담패설인 것 같기도 하고 아닌 것 같기도 한 썰을 구성지게 푼다. 정작 사람들이 직원의 입담에 홀딱 빠져서는 주상절리 절경은 안 보고 직원의 입만 쳐다본다. 저기 보세요. 저기 보세요. 해야 겨우 고개들이 밖으로 돌아갔다.

우리는 제주도를 구경하느라 제주도에 갇혔다. 민속촌을 30분 만에 구경하고 나와서 돌아왔다. 주행하다 떡 길을 가로막고 서 있는 산방산에 깜짝 놀랐고, 안개 낀 1100도로 따라 몽환적인 드라이브가 기억에 남는다. 그냥 무계획으로 다녔다. 2박 3일 만에 집에 오려고 했으나 진짜 제주도에 갇히고 말았다. 풍랑경보다. 기상청에서 근무했지만, 제주도 앞바다까지 풍랑경보가 내려지는 것은 흔한 일은 아니다.

내심 좋기도 하고 남편의 급한 마음이 느껴져 약간은 조심스러웠다. 언제가 강릉에 갔는데 그날은 해일 주의보가 내려진 날이었다. 그때 생각이 나 풍랑경보가 앞바다까지 내려진 날 바다를 볼 수 있다는 행운을 기뻐하며 해안가를 돌았다.

산 같은 파도가 해안을 덮쳤다. 해안가에 차를 대고 파도를 맞았다. 쏴~~철석 차 전면을 덮는다. 우와~~ 환호하며 파도를 즐긴다.

더 크게 파도가 쳤으면 좋겠다. '더 크게 더 세게.'

그냥 마음이 그랬다. 저렇게 시원스럽게 두려움 없이 나를 드러내며 나가자고 사무치는 마음을 갖는다.

이틀이나 더 지나서야 겨우 바다의 풍랑경보가 풀리니 많은 사람이 몰려 배에 자리가 없다. 터미널의 2층에 있는 여러 여행사들 사무실을 왔다 갔다 하며 배편을 구하느라 애를 먹었다. 낮이면 고흥으로 왔을 것이다. 그러나 이틀이나 더 머문 까닭에 완도행으로 겨우 배편을 얻었다. 조바심이 나 맨 먼저 타는 바람에 내리는 데도 한 시간도 더 걸린 듯하다.

돌아오다

나는 언제나 이렇게 돌아온다. 사실 떠난 것도 돌아오기 위해서 떠난 것이다. 그리고 그대와 갇혀있고 싶어서 떠난 것이다. 그대와 갇히고 싶어서 결혼한 것이니까 그대와 잘 갇히려고, 더 잘 갇히려고 떠난 것이다.

그대가 나의 마음을 엉망으로 만들 때 나는 '그대를 떠날 거야.'하고 생각한 적이 많다. 아니 매일 그런 생각을 했다. 그런데 그것은 '나와 잘 갇히도록 노력해 줘.'라는 나의 언어였다. 내 언어를 나도 잘 몰랐다. '나도 잘 모르는 언어를 그대가 알 리가 있나!' 그대도 '나도 떠날 거야.' 하면서 그대도 모르는 언어로 생각했겠지? 오래 살아야 자기의 진짜 언어를 깨닫나 보다. 완도에서 집으로 오는 길은 오로지 암흑이었다. 도로를 달리는 가로등만이 길이 되어 빛을 비추어 준다. 이박 삼일의 여행이 5박 6일이 되는 바람에 단숨에 집으로 달렸다.

아무것도 안 보이는 캄캄함이 좋다. 오로지 우리 둘만 보이고 우리 둘만 들리고 우리 둘만 생각하는 우리 둘만의 시 공간이다. 그대는 갈 때보다 마음이 편안하고 즐거워 보인다. 나도 그렇다. 떠나서 우리가 생각한 삶을 향해 다시 출발할 다짐과 기대를 갖고 돌아오는 것이다. 집에 도착할 때까지 내리 가로등의 불빛을 타고 달렸다. 서로 대화는 별로 나누지 않았다. 호텔은 침대가 두 개였고, 두 개의 침대처럼 몸의 대화도 거리가 있다. 여기저기 다니면서 함께 구경하고, 함께 경험하지만, 두 개의 몸이다. 함께 배를 타고 함께 차를 타도 두 개의 몸이다. 다 몸의 대화가 된다. 60조 개의 세포가 시공간을 초월해서 느낌으로 전달되는 시간은 우리가 함께 갇혀있으므로 된다. 같은 마음이지만 다른 마음을 바라봐 주면 둘이 함께 가 된다.

나는 둘이 같은 마음, 다른 마음을 바라보도록 연습하며 지금까지 살았다. 그래서 나는 언제나 돌아온다. 집에 돌아오니 새벽 2시 무렵이 다 됐다. 자 이제 돌아왔으니 여정을 푼다. 동래 시장에서 만원어치 산 천혜향이 얼마나 맛있던지 다른 곳에서 한 박스를 샀다. 귤청을 담근다며 노점에서 유기농 귤을 이만 원어치를 사며 가게 주인과 이런저런 얘기를 나누었다. 그 바람에 정이 통했는지 좀 흠이 있어 모아놓은 것인데 먹는 데에는 지장이 없으니 가져가라고 해서 얻어온 귤이 두 박스나 된다. 제주도 동문시장에서 흑돼지고기와 저렴한 젓갈들 사 온 것들을 푼다. 부자가 된 느낌이다.

다 정리하니 새벽 3시나 되었다. 암흑 속에서 돌아오며 느꼈던 앞으로의 삶에 대한 기대가 가득 찬 기분으로 자리에 누웠다. 그대도 나와 함께 행복하게 살고 싶다. 나도 그대와 행복하게 살고 싶다. 이런 느낌일 것이다. 여행하면서 특별히 많은 대화를 나누지도 않았지만 그렇게 가까운 거리에 두고 여행하면서 그대와 내가 서로 원하는 것이 무엇인지 다시 회상하면서 정리하는 시간인 것을 서로 알았다. 떠날 때도 알았고 여행하면서도 알았고 돌아오면서도 알았다. 이것이 그대와 나의 제주도 여행이었다. 그대여 안녕히 주무세요.

하느님의 영이 흐르는 길

송일경

출발점까지 가는 길

"그럼, 산티아고에 가야겠네…."

할머니가 되면서 일을 그만두기로 결심하던 내게 그가 말했다. 맞다. 내가 입버릇처럼 말했었다. 직장을 그만두면 산티아고에 갈 거라고. 산티아고에 대해 아는 건 아무것도 없었다. 산티아고를 걸으며 자신을 만날 수 있더라는 말을 들은 적이 있었을 뿐. 그리곤 언제라도 거기에 가면 나를 찾아올 수 있는 듯이 여겼다. 엄마이고 아내이며, 며느리이고 딸이기만 했던 나….

40일간의 걷기 순례라니 참 막연했지만, 기회를 놓칠 수는 없었다. 이야기가 나오고 열흘 만에 마침 독일로 출장 계획이 있던 그와 함께 출국하기로 했다. '프랑크푸르트에서 하루 함께 지내며 유심칩을 준비하고, 바욘으로 가자. 바욘에서 하룻밤을 자고 생장으로 가는 거야. 생장부터는 다른 순례자들과 함께 할 수 있겠지?'

돌아오는 길에 머물 숙소와 비행기 표도 준비했다. 그냥 한 번 떠 봤던 거였는지 남편은 당황스러워하였다. 산티아고행을 포기하고 자기를 따라 가면 따뜻하고 안락한 잠자리가 있다고, 작고 예쁜 독일 마을을 마음껏 누릴 수 있다고 나를 유혹했다. 하지만 내 마음은 이미 산티아고에 가 있었다.

인터넷을 뒤져 산티아고를 걸으려는 이들을 위한 설명회를 찾아냈다. 휴대폰 네이버 지도로 모임 장소를 찾아가는 일은 쉽지 않았다. 시작 시간을 훨씬 지나서야 간신히 도착하여 완전히 의기소침했지만, 짐을 옮겨주는 서비스가 있다는 귀한 정보를 얻었다. 오십견과 약간의 목 디스크에 시달렸기에 지고 걸어야 할 짐이 가장 걱정스러웠던 시절이었다. '그렇다면야 얼마든지 걸을 수 있지.'

돌아오는 길, 본격적으로 준비를 시작했다. 산티아고 가이드북을 한 권 구입했고, 침낭과 함께 방수가 되고 발목을 잡아주는 등산화도 장만했다. 설명회에서 알게 된 노르딕 워킹이라는 방법으로 걷기 위해, 잠자고 있던 등산용 스틱도 찾아냈다.

다음 날 아침, 집 앞 운동장에서 걷는 연습을 하다가 생각이 났다. '알베르게를 나서며 짐을 다음 숙소로 옮겨달라고 부탁하기 위해서는 하루하루의 일정이 정해져 있는 게 좋겠구나!'

작은 수첩을 한 권 마련했다. 2017년의 11월이었다. 가을 단풍을 모두 포기하고 준비한 수첩이 며칠 만에 일단 완성되었다. 생장에서 산티아고까지 800km가량의 거리를 하루 걸을 분량대로 나누어, 한 페이지씩 적은 것이었다. 고마운 남편을 위해 프랑크푸르트에서의 일정만 꼼꼼하게 계획했다. 소통에 필요한 스페인 단어도 몇 개 적어 두었다.

넣었다 빼기를 반복하며 엄선된 짐이 캐리어에 정리되었다. 먼 길을 떠나는 엄마를 위해 아들이 선물해 준 배낭은 거의 빈 상태였지만 메고 가기로 했다.

준비가 다 되었다. 그런데 준비가 다 되었다고 생각했을 때부터 두려운 마음이 생기기 시작했다. '11월 중순이면 겨울철에 해당하는 시기인데…. 해도 점점 더 짧아지고 추워지고…. 비나 눈도 많이 온다던데…. 순례객이 많지 않을 뿐 아니라 알베르게도 열지 않은 곳이 많다던데….' 잠을 자려고 누우면, 비를 맞으며 혼자 어두운 산길을 걷고 있는 내 모습이 떠올랐다.

"산티아고를 혼자서 걷는다고? 이 계절에? 정신이 있니?" 친구들과 지인들의 반응은 거의 한결같았다. 산티아고로 나서기 위해 우리나라 둘레길 걷기부터 국토 종주 등으로 수년간 걷기 연습을 했다는 사람들의 이야기도 떠올랐다. '걷는 걸 좋아하지만 날마다 걸을 수 있을까? 알베르게를 찾아갈 수는 있을까?' 두려움은 점점 더 확대되었고 구체화 되었다. 그러나 그만큼을 준비하며 온통 소문나 버린 일을 그만둘 수도 없는 노릇이었다. '가자. 무조건 가는 거야.'

“인터넷도 되지 않는 상태로 어떻게 낯선 길을 걷지?” 배웅하는 남편의 얼굴엔 근심이 가득했다. 내가 계획한 대로 따라주지 않던 그와 신경전을 벌이느라 유심칩을 준비해야 하는 걸 까맣게 잊은 채 프랑크푸르트에서의 하루가 지나버린 것이었다.

“내 수준에 맞게 준비해 둔 게 있어요. 찾아갈 수 있을 거야….” 휴대폰으로 길 찾기가 서툴렀던 나는 몽페르나스 역에서 기차를 갈아타고 바욘에 도착하는 과정을 빼곡히 수첩에 적어 두었었다. “숙소에 가면 연락이 닿겠지. 매일 잘 있다는 신호를 보낼게요.”

인터넷이 없으니 무언가를 찾아보려고 애쓰지 않아도 된다는 생각에 오히려 마음이 편안하기도 했다. 빠르게 달리는 열차의 쾌적함을 최대한으로 즐기려고 노력했다. 낯선 곳에서 완전히 혼자가 되었다는 느낌은 특별하고 신선했다.

예정했던 시간, 수첩에 적었던 대로 정확하게 움직여 바욘 역에 도착했다. 비 내리는 주일 오후였다. 상가가 모두 닫혀 썰렁한 길을 두리번거려 숙소를 찾았다.

인터넷에 연결되고 보았더니 수많은 카톡이 와 있었다. 대부분이 잘 다녀오라는 격려의 글이었는데 공통적으로 마지막에 덧붙였던 건, 끝까지 걸으려 고집부리지 말고 너무 힘들면 언제든 돌아오라는 말이었다.

그중 한 친구와 전화가 연결되었다. "왜 모두들 그렇게 말하는 걸까?" 나의 물음에 친구가 대답했다. "왜냐하면 네가 가장 소중하니까…. 산티아고를 완주한 네가 아니라 그냥 너 자체로 소중하니까…." 울컥 눈물이 나왔다. 그리고는 새롭게 두려운 마음이 생겼다. 왜냐하면 중간에 돌아갈 방법을 몰랐기 때문이다. 수첩에는 다 걷고 난 후에 돌아갈 수 있는 방법만 적혀 있었다. 묻어 두고 외면하던 두려움이 공포로 밀려왔다.

마음을 다잡아야 했다. 길도 익힐 겸 역 앞으로 다시 돌아가 보았다. 가게 한 곳이 열려 있었다. 케밥과 음료수를 샀고, 바욘 시내 지도를 하나 얻어 돌아왔다. 야채와 고기를 한 움큼 집어넣고, 소스를 뿌려 말아 주던 아저씨의 거친 손이 떠올라 절반도 먹지 못한 채로 남겨진 케밥. 그 불안한 냄새와 함께 밤을 뒤척였다.

생장행 열차는 다음 날 오후에 있었다. 아침 일찍 잠에서 깨어났던 나는 바욘 시내에 있는 성당을 찾아갔다. 어디선가 그레고리안 성가 같은 기도 소리가 들려왔다. 소리에 이끌려 갔던 자리에서는 노신부님 몇 분이 아침 성무일도 기도를 드리고 계셨고, 이어서 월요일 미사가 시작되었다. 휴대폰에 저장되어 있던 미사 책을 찾아 화답송 부분을 함께 낭독했다. 세계 어느 곳에서도 같은 기도문으로 드렸던 그날의 화답송 시편 기도는 이랬다.

주님, 당신은 저를 살펴보시고 잘 아시나이다. 앉으나 서나 당신은 저를 아시고, 멀리서도 제 생각 알아차리시나이다. 길을 가도 누워있어도 헤아리시니 당신은 저의 길 모두 아시나이다…

두려움의 짙은 안개가 걷히던 순간이었다. 내가 어디에 있든지 나의 모든 길을 살펴보시고 아시는 분. 그 분께서 앞으로의 여정에 동행 하시리라는 믿음이었다. 가볍고 기쁜 마음으로 생장행 열차에 올랐다. 휴대폰의 시편 말씀을 읽고 또 읽던 내게 누군가 말을 걸어 왔다. “한국 분이신가 봐요.” 직장을 그만두고 새로운 일을 찾기 전 순례길에 올랐다는 한국인 청년이었다. “나는 할머니가 된 기념으로 길을 나섰어요.” 반가운 마음에 이것저것 간식거리를 내밀었고, 그는 나를 어머니라고 불렀다. 이후 순례길에서 만나는 모든 남자에게 나는 자신을 할머니라고 소개했다. 할머니라는 신분이 나를 지키는 방패라도 되는 듯이 여기며….

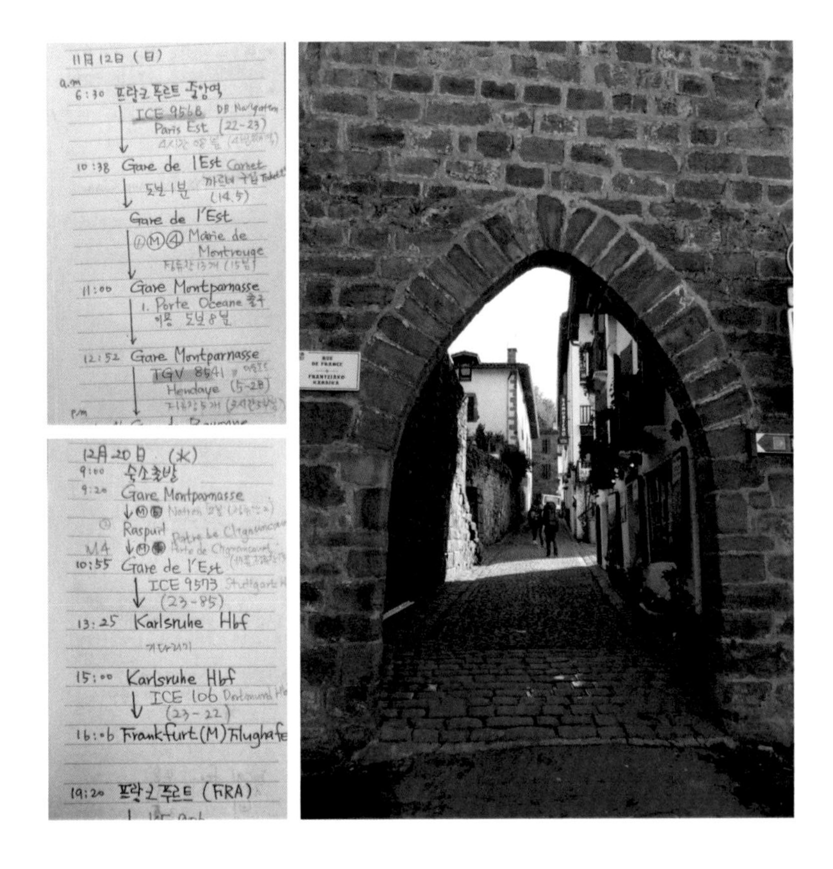

수호천사들과 함께

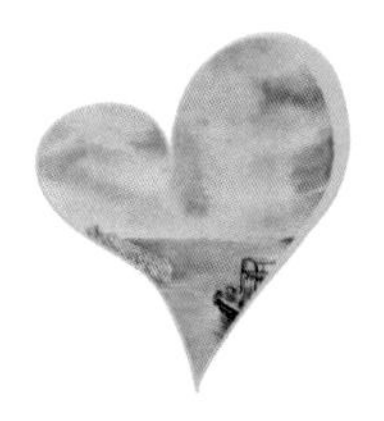

생장에서의 시작은 완전한 절망이었다. 여행자 여권을 발급받으려 순례자 사무실 앞에 줄을 섰던 사람들은 모두들 내가 끌고 온 캐리어를 신기하게 쳐다보았다. 머문 숙소에서 다음 숙소로 짐을 옮겨 주는 모찔라 서비스라는 것이 있더라고 나는 자랑스레 일러 주었다. 그런데 프랑스에서는 이름도 모르는 서비스라는 것이었다.

설명회에서 필요한 말만을 골라서 듣고는 허무맹랑한 계획을 세웠던 것이었을까? 그걸 끌고 피레네 산맥을 넘을 수는 없으니 바퀴 달린 가방은 돌려보내야 한다고 했다. 네비게이션의 도움을 받을 수 없는 상태에서는 우체국을 찾는 일도 쉽지 않았다.

한참을 헤매어 찾은 우체국 앞에서 가방을 열고 앉았다. 아들이 장만해 준 새 배낭은 스틱만 꽂힌 채로 날씬하게 조여져 있어 도무지 무엇을 받아들이려 하지 않았다. 상비약과 침낭, 스포츠 타올 한 장, 선크림 하나…. 넋이 나간 상태로 생존에 필요한 몇 가지를 골라 담았다.

게다가 집으로 보낼 캐리어를 스스로 포장해 오라니…. 정말 다 포기하고 돌아가야 하나 싶었다. 열차에서 만났던 청년과 함께 다른 한국 젊은이들이 가게에서 빈 박스를 구해다 주었다. 10kg의 짐이 집으로 돌아갔고 그렇게 꾸려진 배낭은 채 5kg도 되지 않았다.

겨울철이라 발칼로스 루트로 우회하도록 안내를 받았던 첫날은 전체 순례길 중에서도 가장 험난한 구역이었다. 열차에서 만났던 청년은 유난히 걷기를 힘들어했다. 어떻게라도 도움을 줄 수 있을까 하는 마음에 뒤를 지키며 걸었다. 해병대 복무 중에 입은 부상으로 장애등급도 받았다는 그의 도전정신이 아름답게 느껴졌다.

피레네 산맥의 엄청난 바람을 뚫고 우린 무사히 론세스바예스에 도착했다. 먼저 도착해 있던 이들은 매우 지쳐 있었고, 말짱했던 나를 신기하게 여겼다. 무릎이 아팠던 그를 기다려 준 덕분이었다. 기대감과 흥분에 취하여 평소의 빠르기로 걸었다면 내게도 분명 무리였을 시간이었다.

순례자를 위한 알베르게의 저녁 식사는 푸짐했고 충분했다. 나의 첫 번째 천사들과 함께 성공적인 출발에 축배를 들었다.

다음날 우리는 출발을 함께했다. 해가 뜨기도 전에 침낭을 챙겨 들고 어두운 길을 나섰다. 출발을 함께하였더라도 걸음이 달랐던 우리는 언제든 서로 헤어져 각자의 길을 걷게 되었다.

갈림길에서는 어디로 가야 하나 잠시 걷기를 멈추었고, 돌아보면 언제나 그곳에 노란 화살표가 보였다. "우리 인생에도 이렇게 확실한 좌표가 있다면 얼마나 좋을까요?" 대부분 과도기와도 같은 과정 중에 있던 한국 청년들에게는 선명하게 방향을 알려주던 노란 화살표가 더욱 특별했던 것 같았다.

스쳐 갔던 그들과의 이야기에서 과거의 나를 다시 돌아보았다. 또한 그들 모습에서 어쩌면 부모로서 알지 못하던 내 아이들의 모습도 보았다. 우리는 가볍게 자신을 털어내었고, 귀 기울여 서로를 듣고 있었다. 그리곤 깊이 스스로를 들여다보는 시간을 가졌다.

모찔라 서비스를 신청할 욕심에 30여 일 남은 일정을 구간으로 나누어 수첩에 적었던 것은 아주 유용한 준비였다. 아침에 눈을 뜨면 예정되었던 그 하룻길만을 충실히 걸으면 되었다. 걷기를 아무리 좋아한다 하더라도 걸어야 할 800km를 한꺼번에 생각했다면 지레 질리지 않았을까? 오늘을 잘 마무리할 수 있었음에 감사하며 하루씩만을 걸었다.

데이터도 없이 수첩에 펜으로 적은 일정표를 들고 다니며, 휴대폰으로 사진 찍기에만 열심이었던 나를 청년들은 어머니라고 불렀다. 내 일정에 맞추어 함께 하루를 마무리했고, 올리브유나 토마토로 맛을 낸 스파게티를 만들어 주기도 했다. 큰 도시에 도착했을 때는 나도 돼지고기와 김치를 구해달라고 하여 어머니다운 솜씨로 음식을 마련해 주었다. 한동안 나는 또 다른 어머니였다.

길은 다양한 모습으로 열렸다. 초원 위의 소와 양들이 그림 같던 길, 가슴 벅차게 넓은 평야가 내려다보이던 용서의 언덕…. 때론 고속도로 곁을 한없이 걷기도 했다. 길이 이끄는 대로 걷다 보면 저 멀리 마을 한 가운데 우뚝 선 성당의 종탑이 보였다. 마을은 성당을 중심으로 형성되었는데 성당에 묻어있는 세월이 인상적이었다.

성당 앞에는 알베르게가 있었고, 마을에는 바(Bar)가 열려 있었다. 하루의 처음에 만나는 마을 바에서 아침을 먹었고, 버리는 일도 해결했다. 몸 안에서 나오는 것을 비우는 일이 내게는 순례길 내내 가장 큰 어려움이었다. 물을 많이 마시지 않는 것으로 작은 일을 해결하면 큰일이 문제가 되었기 때문이다. 여차하면 길에서도 볼일을 봐야 한다고 했지만 그건 도무지 쉬운 일이 아니었다.

다시 걷기를 시작하면 다리는 자동인 듯 움직였다. 바에서 아는 얼굴을 만나면 반갑게 맥주 한 잔을 나누기도 했다. 서로 다른 보폭으로 걷느라 만나고 헤어지기를 반복하면서 우리는 점점 더 반갑게 만나고 얼싸안는 사이가 되고 있었다. 순례자 여권에는 도장이 차곡차곡 찍혀갔다.

순례자 사무실에서 받은 길 안내 종이에는 고도가 표시되어 있어서 많은 도움이 되었다. 하루에 보통 20~25km 정도를 걸었는데 평평한 메세타 지역은 35km도 너끈히 걸을 수 있었다. 스틱이 몸을 밀어주듯이 걷는 노르딕 워킹은 특히 메세타 지역에서 아주 효과적으로 걸을 수 있는 방법이었다. 축지법을 쓰듯이 걷는 일이 신기했다.

무슨 일이든 규칙적으로 하려고 하던 나는 시간마다 울렸던 알람에 멈추어 스트레칭을 했다. 가끔은 신발과 양말을 벗어 발을 말려 주기도 하였다. 덕분에 물집 같은 발의 문제 없이 잘 걸을 수 있었다.

때론 끝없이 펼쳐지는 올리브밭이기도 했고, 포도밭이기도 했다. 아름드리나무 숲도 지났다. 우리나라 가을처럼 맑고 푸른 하늘에 산들바람이 부는 날씨가 이어졌다. 문을 연 알베르게나 바가 많지 않다는 것을 제외하면 겨울이라는 계절을 가늠할 수 없이 아름다운 날 들이었다.

겨울을 준비하던 들판은 수확을 끝내고 남은 포도가 달려 있어서, 지친 순례자에게 귀한 에너지원이 되어 주었다. 날이 조금 더 추워졌을 때는 있던 옷을 다 끼어 입으면 되었다. 먹을 것과 입을 것을 미리 준비하지 않는 하루의 시간이 충만하게 느껴졌다. 길을 따라 펼쳐졌던 하느님의 놀라우신 솜씨에 취했고 감동했으며, 아무것도 아닌 나를 위하여 준비해 주셨던 모든 것에 감사의 눈물을 흘리기도 했다.

어느 날엔 길에 주저앉은 한 이탈리안 청년을 만났다. 발에 잔뜩 물집이 생겨 걷지를 못하는 것이었다. 한편에서는 부축하고, 한편에서는 짐을 져주다가 그만 우리도 모두 지쳐버렸다. 그날 예정했던 길을 다 걷지 못한 채로 머물기로 했던 마을은 라바날 델 까미노였다. 저녁 식사 후 참례했던 미사에서 한국인 신부님을 만났다. 신부님은 머물며 피정 시간을 가지라고 권하셨다. 대부분 청년은 가던 길을 떠났고 나는 하루를 더 남아 지내기로 했다.

피정에서 신부님은 내가 걷고 있던 그 길은 방랑이 아니라 산티아고 데 콤포 스텔라를 향한 순례의 길이라고 일러 주셨다. 예수님의 열두 제자 중 첫 순교자이신 야고보 성인을 찾아가는, 하느님의 영이 흐르는 길이라고 하셨다. 그 길에서 만나는 사람들은 사랑이라는 공통된 언어로 서로 교감할 수 있다고 하셨다. 과연 말이 잘 통하지 않던 서로가 무사히 완주하기를 바라며 "Buen Camino"라는 인사 한마디로 충분히 소통할 수 있던 길이었다.

아들의 어려움을 함께 극복하기 위해 폴란드 집 앞에서부터 걷기 시작했던 아버지와 아들이 있었고, 남편과의 헤어짐을 슬퍼하던 부인도 있었다. 휴가 때마다 조금씩 구간을 나누어 걷던 이도 있었고 벌써 여러 차례 같은 길을 걷는다던 이도 있었다. 유창한 말로 소통할 수는 없었지만, 우리들 사이에는 서로에 대한 존경과 감사의 정이 흐르고 있었다. 한마디도 나누지 않으며 스쳐 갔던 잠깐의 인연들도 소중하게 기억되고 있었다.

다양하게 만났던 모든 이들은 서로에게 천사였다. 우리는 가진 것이 부족하였으나 모든 것을 마련할 수 있는 길 위에 있었다.

이끄시는 대로

라바날 델 까미노에서 하루 피정으로 머무느라 함께하던 청년들과 뿔뿔이 흩어졌다. 나는 더 이상 어머니가 아니어도 되었다. 철의 십자가 앞에 나의 조약돌 하나를 쌓아 기도하며 새로운 길을 걸었다.

과연 해는 점점 짧아지고 있었고 날씨도 이전과는 완전히 다르게 변해 버렸다. 무시무시하게 쏟아지는 비와 바람이 날마다 계속되었다. 더 두껍고 단단한 우비를 사 입었다. 맑고 밝은 날에 비해 좀 더 멈추어 노란 화살표의 방향을 찾아야 했다.

레스토랑에서 식사 후 혼자 돌아오던 어느 어두운 밤, 길을 완전히 잃어버렸던 날도 있었다. 알베르게가 있는 골목을 찾지 못하여 헤매고 있었는데 지나던 차가 내 앞에 섰다. 차에서 내린 신사는 뒤로 물러섰던 내 손을 잡아 비를 맞으며 알베르게 앞까지 나를 데려다주었다.

오세브레이로 산꼭대기를 넘던 순간에는 시속 90km가 넘는 태풍을 만나 몸을 가누기도 힘든 걸음을 떼어야 했다. 우비도 모자도 소용없이 세찬 빗줄기에 뺨을 맞으며 질퍽한 발로 휘청거렸다. 그런데 너무나 힘들었던 그 순간이 오히려 가슴 벅찬 기쁨과 감사로 기억되며 잊을 수가 없다. 모든 과정을 견딜 수 있도록 알맞게 훈련하셨던 이끄심이었다. 맑고 아름다운 날도, 견디기 어려운 고통의 날도, 나를 위해 마련하셨던 길이었다.

산티아고 순례길을 혼자 걷겠다고 마음먹으면서 나는 불안했었다. 그 이전, 일을 그만두겠다고 결심하면서도 그랬다. '나는 고집을 부리고 있는 것일까? 이건 옳은 선택일까? 나는 제대로 가고 있는 것일까?' 그런 모든 마음의 흔들림이 폭풍우 앞에서 가장 고요한 모습으로 가라앉았다.

혼자일 거라고 두려웠던 순간들을 혼자 버려두지 않으셨음을 기억했다. 새로운 길동무들과의 시간을 걸으며 자유롭고 행복했다. 자신의 걸음을 걷기에도 벅찬 상황이었지만 우린 서로를 염려하며 돌아보았다.

어느 날 묵주기도를 드리며 열심히 걷다가, 혼자 걷고 있던 나를 발견했다. 포르토 마린까지로 예정되었던 일정을 당겨 곤사르까지

약 9km를 더 걸었다. 노란 화살표가 양쪽 모두를 가리키고 있던 지점에서 누군가를 만났고, 짧은 길 방향과 함께 곤사르에 문을 연 알베르게가 있다는 정보를 얻었던 것이다. 함께 걷던 다른 이들보다 산 하나를 더 넘은 셈이었다.

산 정상에 혼자 섰을 때는 처음으로 길 위에서 크고 작은 생리적인 일을 해결하기도 했다. 어두워지는 숲길을 지났고, 묘지에 둘러싸인 성당 앞 아주 작은 알베르게에 도착했다. 알베르게를 지키던 직원은 오늘 밤 유일한 순례객이라며 반갑게 나를 맞아 주었다. 그리곤 퇴근 시간이라고, 무섭지 않겠느냐며 온통 불을 켜 두고는 가 버렸다.

오롯이 혼자 남은 거였다. 걷기를 시작하고 29일 만에 맞은 밤이었다. 나는 정말 혼자일 수 있는 준비가 되어있었다. 창문 밖은 온통 묘지였지만 전혀 두렵지 않았고 완전히 평화로웠으며, 내 안은 텅 빈 듯 가득했다. 매우 특별한, 잊지 못할 밤이었다.

고요했던 그 시간, 길에서 만났던 어느 이탈리안 선생님이 내게 해 주었던 말이 떠올랐다. "You are something special and useful." 그건 하느님께서 내게 해 주시는 말씀으로 새롭게 들려왔다. 나는 나 자체로 특별하고 쓸모가 있는 존재다!

걷는 내내 혼자인 채로 도착했던 멜리데에서는 멕시코 아줌마를 다시 만났다. 큰 체격으로 걷기를 힘들어했던 그녀에게 노르딕 워킹을 가르쳐 주었던 적이 있었다. 함께 걸어 도착한 산타 이레네의 알베르게는 그녀의 도움이 없었다면 찾지 못했을 것이다. 산티아고를 향하여 함께 출발했지만 걸음이 달랐던 우리는 다시 헤어졌고, 산티아고에 도착했을 때도 나는 혼자였다.

산티아고 시내를 가로지르며 성당에 도착할 때까지의 흥분과 설렘을 잊을 수가 있을까? 기쁨과 은총이 가득한 거룩한 미사를 눈물로 봉헌했다. 모든 것을 허락하신 하느님께 드렸던 찬미와 감사였다.

야고보 성인을 만났고 순례 확인증서도 받았다. 함께 걸은 적이 있던 남자를 순례자 사무실에서 만났고 포옹도 했다. 서로 이름도 국적도 몰랐지만 우린 해냈던 것이다.

집으로 돌아오던 길, 파리의 호텔 방에 머물렀다. 침대 하나와 간이 화장대로 꽉 찬 방과 욕조 딸린 화장실이 있었다. 예약하며 너무 좁다고 남편에게서 걱정을 들었던 방이었다.

그런데 그 방에 들어섰던 순간의 느낌을 잊을 수가 없다. 하얗고 깨끗한 침대 시트와 물건을 올려놓을 수 있는 공간들…. 혼자 쓰는 화장실에 욕조까지…. 모든 게 너무나 과분한 느낌이었다. 배낭에 있던 물건들을 꺼내 보면서 그만큼으로 한 달 이상의 시간을 지냈음도 놀라웠다.

욕조에 물을 받고 비누를 넣어 잔뜩 거품을 내고, 몸을 담가 앉았다. 눈을 감으니 지나온 길들이 이어져 보였다. 프랑크푸르트를 거치지 않았다면 첫날의 험난한 지역을 비를 맞으며 걸었겠지. 그랬다면 견딜 수 있었을까? 처음 천사들을 만나지 못했다면 출발할 수 있었을까? 없었으면 좋았을 것 같던 일들도 지나고 돌아보니 꼭 필요하고 중요한 과정이었다.

지치고 지루했던 순간도 있었지만 걱정하지 않고 그저 꾸준히 걷기만 하면 되었다. 순간마다 필요했던 모두를 마련해 주셨다. 준비물을 잘 챙겼다면, 자신감에 넘쳐 스스로 길을 찾을 수 있었다면, 내 힘으로 모두 해 냈다고 착각했을지도 모르겠다. 그러나 노란 화살표만 따라 걸었던 산티아고 순례길은 이끄셨던 손길에 나를 온전히 의탁한 시간이었다.

생각 해 보니 내 삶의 모든 길도 마찬가지였다. 열리는 대로 이끌어지는 대로 걸어가는 길, 미리 염려하거나 돌아보지 않고 하루씩 한 걸음씩 충실하게 지나가는 길, 혼자였을 때에도 누군가 함께였을 때도 늘 지켜주시는 길이었다.

다시 내 자리로 돌아왔다. 날마다 보낸 신호를 받아 나의 위치를 빼곡하게 기록하며 함께 해 왔던 남편과 아이들이 놀랍고 감사했다. 태어난 모습만 보고는 떠났던 손자를 40일 만에 돌아와 안으며 가슴이 뭉클했다.

살펴보시고 헤아려 아시며, 지켜주시는 분의 이끄심을 따라 나는 오늘도 나의 자리에서 나의 길을 걷는다. SOMETHING SPECIAL 하고 USEFUL 하게… BUEN CAMINO다.

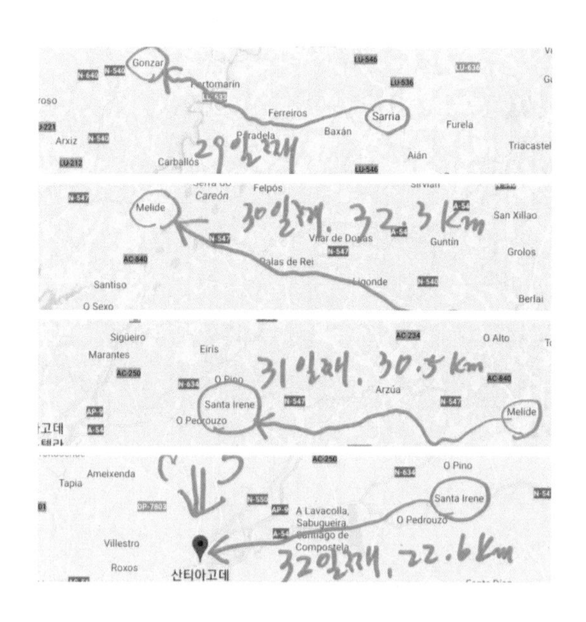

프로방스 미술 기행

신미자

방스에 있는 로제르 성당 (Chapelle du Rosaire)

6월 중순, 해변 도시 니스에 도착하니 엄청 더웠다. 니스에서는 일주일 정도 머물면서 주변의 작은 도시들을 둘러볼 계획을 세웠다. 니스는 유명한 관광지이면서 휴양지로 이름이 알려진 곳이다. 지중해의 온화한 기후와 멋진 해변 등 다채로운 풍경으로 인기가 높은, 남프랑스의 중심 도시로 알려져 있다.

내가 남프랑스를 여행하려 한다는 소리를 듣고, 화가인 친구가 방스라는 곳에 있는 마티스 성당을 추천했다. 그녀는 남프랑스 여행 중에 이 성당이 제일 마음에 들었다고, 일부러라도 꼭 가보라고 당부했다. 본래 여행계획에는 방스라는 곳은 없었다. 처음 들어 보는 도시였다. 그 근처 생폴 드 방스는 여행지에 넣었다. 작은 성당 하나를 보기 위해 방스로 가기에는 조금 망설여졌다. 유럽을 여행하면 매일 성당을 마주하게 된다. 그동안 유럽을 여행하면서 이름난 성당들은 거의 다 둘러보았기에 성당에는 관심이 없었다. 작은 시골에 있는 성당을 굳이 찾아가야 하는 건가? 이런 회의감이 들면서도 미술을 전공한 친구의 안목을 믿기에 가기로 마음을 굳혔다.

생폴 드 방스라는 도시를 가면서, 바로 옆 동네 방스를 가보기로 했다. 니스에서 400번 버스를 타서 산 쪽으로 약 한 시간 정도 달려 생폴 드 방스에 도착했다. 여행객들 대부분이 내렸다. 잠시 저들을 따라 내릴지 말지 갈등했다. 그러다 윗동네 방스를 먼저 방문하고 생폴에서는 점심을 먹으며 느긋하게 놀다가 니스로 돌아가야겠다는 생각이 들었다. 버스는 10분 정도 더 올라가 종점인 듯한 곳에 정차했다. 방스가 종점인지 모두 내렸다. 아침이라 사람들도 별로 없는 소박한 시골 동네였다. 로제르 성당을 물어 찾아갔다. 성당은 방스 중심가에서 조금 벗어난 전원 주택가에 있었다. 외관은 평범한 가정집으로 보였다. 아니 이런 데가 성당이라고? 기존 성당에 대한 내 기대가 와르르 무너졌다. 그런데 문이 굳게 닫혀있다. 안내판에는 오후 2시에 문을 연다고 쓰여있는 게 아닌가? 정보! 난 왜 검색을 잘 안 하는지 모르겠다. 구글 검색만 했어도 이런 일은 생기지 않았을 텐데…. 난 당연히 성당은 아침부터 문을 연다고 생각하고 처음부터 검색할 생각조차 하지 않았다. 크게 실망하며 머리를 급 회전시켰다. 방법이 없었다. 이 방스라는 도심을 둘러보는 데는 30분도 채 걸리지 않을 듯했다. 현재 아침 10시, 오후 2시까지는 너무 길었다. 그래서 다시 되돌아서 버스정류장으로 향했다. 자꾸 성당을 뒤돌아보며 평범한 주택으로 별로 볼 게 없을 것 같다는 선입견이 들었다.

버스정류장에서 생 폴드 방스 가는 버스를 기다렸다 탔다. 시간과 버스비가 아깝다는 생각이 들면서 짜증이 확 올라왔다. 하지만 버스에서 본 아름다운 방스의 전경과 자연은 내 마음을 평화롭게 했다. 작은 언덕은 성벽으로 둘러싸여 있고 그 안에 돌로 지어진 건축물들이 산 위를 장식하고 있다. 이런 구조는 외부 침략에 대비한 방어용인 듯했다.

생폴 드 방스는 화가 샤갈이 사랑했던 도시라고 했다. 큰 길가에서 내려 마을로 들어가면 옛 중세 도시 분위기의 오래된 건물, 돌이 깔린 좁은 길을 구불구불 돌면서 아기자기하고 이국적인 카페와 기념품 가게들이 눈길을 사로잡았다. 특히 미술품을 파는 작은 갤러리에서 알려진 화가들의 복제 그림을 감상하는 것도 나름 좋았다. 여러 갈래로 엉켜있는 골목을 돌다 보니 동네 끝에 있는 묘지에 당도했다. 바로 오른쪽으로 샤갈의 묘가 있다. 샤갈이 이곳을 얼마나 사랑했으면 여기에 마지막 여정을 잠재웠을까 싶었다.

성벽 위에서 주변 들판을 시원스럽게 바라보니 가슴이 확 트였다. 이런 곳에서는 며칠을 머물면서 새벽부터 밤까지 고대 도시의 분위기를 누려야 할 것 같았다. 한나절만 돌아보기에는 너무 아깝다. 점찍기식의 여행에 점점 회의감이 들었다.

그래도 느긋하게 미로 같은 골목을 돌아다니며 예쁜 곳에서 사진도 찍고, 갤러리에서 화가들의 멋진 그림을 천천히 감상도 하고, 마음 내키는 대로 돌아다니는 자유여행의 참맛을 누릴 수 있어 행복했다.

점심시간이 되어 현지 식당에서 간단하게 점심을 먹고 방스로 갔다. 정류장에서 내려서 성당으로 걸어가는 길에 갑자기 천둥 번개가 요란했다. 분명 방금까지도 화창했던 날씨가 이렇게 변덕스럽다니…. 우산을 준비하지 않아 불안했다. 갑자기 하늘에 검은 구름이 몰려들기 시작하더니 점점 내 머리 위를 위협했다. 니스로 돌아갈 걱정을 하며 성당으로 들어갔다. 입장료가 7유로, 무슨 시골 동네 성당이 돈을 받고 난리야! 불만이 올라왔다. 건물 안으로 들어가자, 티켓과 간단한 기념품, 엽서 등을 팔고 있었다. 입장권을 사서 아래층으로 내려갔다. 복도에 연필로 스케치한 작은 그림들이 양쪽으로 전시되어 있는데 눈길이 가지 않았다. 야수파의 창시자, 색의 마술사라는 마티스의 유명한 그림은 거의 보이지 않았다. 방 한 칸에는 커다란 벽면에 그가 그림을 그리는 사진이 덩그러니 있을 뿐, 또 다른 방에는 색종이로 오려 붙인 성당의 스테인드글라스 모형들이 작게 만들어져 전시되어 있다. 별반 눈에 들어오는 볼거리가 없었다. 대부분의 사진과 연필 스케치에는 연대별 설명이 나열되어 있지만 자세히 읽고 싶은 욕구가 일어나지 않았다.

지하 성당 안으로 들어가니 직원이 엄격하게 사진 촬영을 못 하게 했다. 성당 안을 보고 깜짝 놀랐다. 기존의 내가 보아왔던 성당과는 달랐다. 천장이 높고 웅장하고 위협적이기까지 한 큰 기둥, 조금 어두우면서 권위적인 형식이 전혀 아니었다. 우선 작고 단순했다. 한 30여 명 정도 앉을 수 있는 단아한 의자가 놓여 있고, 정면 앞 탁자에 6개의 촛대가 놓여 있을 뿐이었다. 그 뒤는 파란색, 노란색, 초록의 나뭇잎 모양의 긴 스테인드글라스 창문이 있다. 그 바로 옆면에는 굵은 연필로 그린 듯한 예수상이 있을 뿐이었다. 나중에 알고 보니 예수가 아니라 사제였다. 마치 동화 속 세상에서 아이들이 의자에 앉아 기도하면 어울릴 것 같은 분위기였다. 스테인드글라스에서 비치는 빛이 이 작은 공간을 밝히고, 환상적인 분위기를 연출했다. 잠깐 앉아서 아담하고 따뜻한 분위기를 누리고 싶었다. 하지만 상주한 직원이 굳은 얼굴과 딱딱한 말투로 "사진 촬영 금지"라는 바람에 불쾌감이 들었다. 그녀의 고압적인 자세는 사람들을 위축시켰다. 뭐가 그리 중요하다고 감시의 눈초리로 한 사람씩 째려보는 게 굉장히 눈에 거슬렸다. 성당은 신도가 아니어도 들어가서 편안히 앉아 예수님도 친견하고 천장의 그림과 벽화를 감상도 하고, 기도도 하며 쉬는 공간이 아닐까? 항상 엄숙해야 하나? 의자에 잠시 앉아 있는데 좌불안석이 되었다. 영 분위기가 싸늘해서 스테인드글라스에서 연출하는 빛의 향연을 충분히 만끽할 수 없었다.

건물 2층으로 올라가니 성직자들의 의상이 전시되어 있다. 천주교에서는 큰 행사가 있을 때마다 사제들의 의상이나 장신구가 각각 다른 듯하였다. 사제들의 의상이 전체적으로 화려해서 거부감이 들었다. 검은색과 흰색이어야 할 거란 선입견 때문인지 친근하게 다가가지 못했다. 이런 의례복을 마티스에게 주문했고, 색의 마술사다운 화려한 색상의 디자인으로 세련됨의 극치를 보여주었을 뿐이었다. 그냥 있는 그대로 감상했어야 했다.

미술에 대한 식견이 부족해서인지 찬찬히 구경한다고 여겼는데도, 30여 분 정도밖에 걸리지 않았다. 색의 마술사라는 마티스의 엄청난 작품들을 나 혼자 지레 기대했던 것이 문제였다. 그 기대가 무너지며 실망감이 확 몰려왔다. 아마 내가 천주교 신자라면 그 작은 성당을 본 것만으로도 만족했을 텐데, 사람이 가진 기대치라는 것이 참 어리석을 때가 많은 것 같다. 혼자 툴툴거리며 성당을 나가려는 순간, 천둥 번개와 함께 소나기가 모든 것을 쓸어버릴 듯이 내렸다. 우산이 있다고 해도 나갈 수 없는 상황이 되었다. 관람객들 모두 나와 비슷한 처지로 입구에 서 있었다. 소나기가 그치기를 기다리며 엽서를 보고 기념품 살만한 것이 있나 둘러보는데 살만한 게 없었다. 앉을 자리도 없는 입구에서 여러 명이 서성거리고 있었다. 낯선 사람들과 있는 것도 쑥스러워서 할 수 없이 다시 전시실로 들어갔다. 소나기가 그치기를 기다리며 좀 전에 성의 없이 본 그림들을 여유 있게 감상하기 시작했다. 그림들을 다 둘러보고도 비가 그치지 않았다. 심심했다. 그림 옆에 프랑스어와 영어로 그림 설명과 마티스가 말한 글이 있어 읽기 시작했다.

72세에 마티스가 암 수술을 받았을 때, 자신을 간호했던 아가씨가 수녀가 되었다. 수녀가 된 후에도 마티스의 병간호를 하며 지냈고, 모델이 되어 주기도 했다. 둘은 엄청난 나이 차이에도 불구하고 친구로서, 같은 신앙인으로서 서로 잘 통했다고 했다. 몇 년 후에 수녀님이 방스에 성당을 지를 예정이라고 하니 마티스가 나서서 적극적으로 참여했다. 마티스는 성당을 직접 디자인하고 벽화와 스테인드글라스도 제작하였다고 한다.

좀 전에는 무심히 지나친 복도의 연필 스케치 그림은 수녀에게서 신앙적 영향을 받은 마티스가 예수의 고난, 일생을 연작으로 그린 것이었다. 그림에 대한 그의 말을 읽고 나는 울컥했다. 그림은 예수가 로마 병사들에게 매를 맞으며 끌려가는 장면, 십자가에 못 박히는 장면 등 박해받는 모습들이었다. 관절염으로 손 움직임이 어려운 가운데 겨우 연필로 스케치한 그림들이다. 그는 예수의 이런 고난이 그대로 온몸으로 느껴졌다고 했다. 갑자기 나도 마티스에게 훅 공감이 되었다. 눈물이 나왔다. 예수는 못 박혀 죽는 것이 고통이 아니라 어리석은 인간들의 행태가 더 가슴 아팠을 것 같았다. 마티스는 끌려가며 고통을 당하는 예수의 입장이 되어 마음과 몸이 아팠다고 했다. 이 성당은 마티스가 82세에 십이지장 수술을 받고, 관절염으로 몸과 손을 잘 움직이지 못하는 가운데, 인생의 마지막 심혈을 기울여 완성한 성당이라고 한다.

갑작스러운 소나기로 2시간 넘게 그 작은 건물에 갇힌 덕분에 의도하지 않게 마티스의 그림 안으로 스며들어 버렸다. 그는 말년에 폐결핵으로 유화물감을 사용할 수 없었고, 관절염으로 몸이 불편해서 그림을 그릴 수 없었다. 그래서 색종이를 오려 붙이는 방식을 창안해서 작업했다. 어쩐지 꼭 아이들이 색종이 놀이로 오려 붙인 것 같은 인상을 받았다. 그는 이것을 'Paper Cut-Out(가위로 그리는 회화)'라고 했다. 그래서 동화 속 세상처럼 보였던 것이었다. 몸이 아픈 상태에서도 그림 색깔이 안온하고 평화로웠다. 성당 안, 파란색과 초록, 노란색의 풀잎 모양의 스테인드글라스는 평화를 상징하는 듯했다.

로제르 성당은 마티스의 예술적 역량과 종교적 신념이 집약된 마지막 작품이라고 전해진다. 그는 이 성당을 통해 기존의 종교적 건축의 틀을 깨고, 단순하고 기하학적인 형태와 밝고 화려한 색채를 사용하여 성스러운 공간을 표현하고자 했다고 한다. 그의 성당에 대한 새로운 창조성은 성공적이란 생각이 들었다.

유럽이나 남미, 러시아 등의 성당을 방문해 봤지만, 이런 형태는 보지 못했다. 이곳에 오기 바로 전, 바르셀로나의 '라 사그라다 파밀리아' 성가족 대성당의 내부를 보고 감탄을 했는데, 사실 크기와 넓이만 다를 뿐이지 분위기는 비슷했다. 성가족 대성당은 외부 모습도 대단하지만, 내부의 그 철학적인 구조물과 빛의 향연은 외부 건축과 비교할 수 없게 감동적이었다. 두 성당 내부의 스테인드글라스의 빛은 평화이며 구원을 상징하고 있단 생각이 문득 들었다. 가우디와 마티스, 두 거장은 사람들이 성당 안에서 따뜻한 은총을 느끼게 하는 마법을 디자인한 듯하다.

마티스의 영적인 작품 세계를 접하며 나를 돌아보게 되었다. 탐욕적이고 속물적인 인간의 한계에 머물러 있다는 반성과, 아는 것만큼 보인다는 것과 뭔가를 사랑하려면 시간과 관심을 기울여야 한다는 사실을 깨달았던 마티스 성당! 미적인 분야에 시야를 넓혀준 친구에게 감사를 전하고 싶었다.

니스로 돌아온 후, 마티스의 작품을 좀 더 보고 싶어 미술관을 방문했다.

마티스 미술관은(Musee Matisse)은 니스 시내에서 시미 언덕에 있어 어렵지 않게 갈 수 있었다. 이곳은 마티스의 가족들이 기증한 마티스 작품 450여 점과 그의 유품들이 전시되어 있는 고전적인 건물의 미술관이다. '야수파' 창시자이자 20세기를 대표 화가 앙리 마티스의 많은 작품을 시대별로 감상할 수 있어 그를 이해하는 데 도움이 되었다. 사실 '야수파'라는 어감이 조금 불편해서 마티스를 좋아하지는 않았다.

초창기 그림에서는 풍경화, 정물화가 많은데 특히 니스 해변을 그린 그림이 시원하고 사실적으로 보여 친근감이 들었다. 여인의 나체를 굵은 선으로 그린 그림이 많은데 원색을 즐겨 쓰고 거친 선과 형태가 두드러진다. 그래서 '선의 연금술사'라고도 알려졌고 오늘날에는 그래픽 아트에 큰 영향을 준 그래픽 아티스트라고도 평가받는다. 대단히 앞선 예술가였다. 그리고 나체 사람들의 그림을 보면 우주 공간을 유영하는 듯하기도 하고, 본능적인 춤을 추는 듯한 자세가 흥미로웠다. 원시시대 사람들의 자유로움을 그린 것 같기도 하고, 본래 인간이 자유를 갈망하는 모습을 그린 것 같기도 했다. 니스와 방스에서 마티스라는 화가를 알게 되어 나의 미술에 대한 시야가 넓혀진 듯하여 좋았다. 새로운 세계에 눈을 뜬다는 것은 감동이고 기쁨이었다.

아를의 밤엔 고흐가 빛난다

니스에서는 배낭족들의 호스텔에서 복작거리며 보냈다. 아를에서는 다행히 호텔을 예약했다.

바로 성 안에 있는 작은 호텔로 조용했다. 아를의 여행 목적은 고흐의 발자취를 따라가 보는 것이었다. 미술에 대한 내 관심은 고등학교 때 배운 인상파 화가, 고흐 때문이었다. 그의 그림 중에서 특히 '론강에 비치는 별빛'과 '밤의 카페 테라스' 현장을 가보고 싶었다. 고흐가 아를을 사랑하기도 했고, 그림도 많이 그렸고, 사연이 많은 곳이라 나름 기대가 컸다.

막상 고흐만 생각하고 도착한 아를에서 호텔을 찾아가는데 꼭 로마에 온 듯한 착각에 빠지게 했다. 옛 고대 유적들이 곳곳에 산재되어 있었다. 호텔 근처에서 옛 로마 시대 원형경기장을 마주한 순간 여기가 로마인가? 자세히 보니 원형경기장은 로마의 콜로세움보다 크기는 작지만, 온전히 잘 보존되어 있었다. 그리고 호텔 바로 옆은 성벽이 보이고 론강으로 나가는 성문이 있었다. 이른 시각에 도착해서 우선 짐을 호텔에 맡기고 아를 구시가지를 돌아다녔다. 원형 극장, 투우장 등 로마 시대 유적과 생트로팽 대성당 중세 시대 유적이 남아 있는 아주 오래된 유서 깊은 곳으로 도시 전체가 유네스코 세계유산에 등재되었다고 한다.

동네를 돌아다니다 보니 '밤의 카페 테라스' 카페는 중심가에 있었다. 그림 속에서는 조금 한적한 좁은 골목길에 있는 것처럼 보였는데, 핫플레이스가 되어 있었다. 카페 첫인상은 인심이 좋지 않은 듯, 고흐의 그림판을 지나가는 관광객들이 잘 볼 수 없게 돌려놓았다. 자세히 살피지 않으면 이 카페를 그냥 지나치게 되어 있었다. 요즘은 대부분이 구글 앱으로 찾으니 잘 찾기는 하겠지만 카페 주인의 배려심이 조금 의심스러웠다. 아마 많은 관광객이 그 앞에서 사진을 찍으니, 영업에 방해가 되었을지도 모르겠다. 고흐가 자주 이용한 카페인데 지금은 다른 곳보다 가격이 비싸고 맛도 별로라 평점이 최하위로 알려져 있다. 굳이 그런 카페에 가서 가난했던 고흐를 회상하기는 싫었다.

다음으로 에스파스 반 고흐(Espace Van Gogh) 미술관으로 찾아갔다. 고흐가 입원했던 정신병원으로 알려진 곳으로, 고흐의 그림 '아를 병원의 정원'의 모델이 되었던 곳이다. 지금도 똑같이 하얀 기둥에 노란색 띠를 두른 건물이 그대로 보존되어 있다. 정원에는 그림 속과 거의 비슷하게 작은 분수와 예쁜 꽃들로 화려하게 꾸며져 있다. 정신병원이라고 하면 어둡고 우울할 것 같은 분위기를 상상했는데 밝고 아름다웠다. 지금은 병원이 아니라 문화센터로 바뀌었다. 정신병원에서도 그림을 그리겠다는 의지로 맹렬히 고군분투했던 고흐를 만날 수 있을까 싶었는데, 그의 발자취는 안내판의 '아를 병원의 정원'을 보며 상상할 수밖에 없었다.

저녁에는 고대 극장에서 열리는 플라멩코 공연을 봤다. 아를의 축제 기간이어서 전통 의상을 입고 음악회에 온 사람들이 많았다.

다음날 고흐의 흔적을 찾아 아를 시내에서 조금 벗어난 로마 시대의 무덤이 있는 '알리스캉'을 찾아갔다. 6월 들판은 온갖 종류의 야생화들로 멋들어지게 꾸며져 있었다. 걸어가는 내내 그늘이 없는 길을 걷는 것은 덥고 힘들었지만, 화려한 색깔의 야생화들을 보며 걸으니 행복했다. 한적한 시골길에는 사람이 없어 그 꽃들이 오로지 나만 반겨주는 듯한 착각이 들기도 했다.

알리스캉 가까이 가니 우거진 삼나무들이 그늘을 만들어 주어 시원했다. 알리스캉은 '샹젤리제'의 프로방스식 호칭이라고 한다. 아를에서 이곳은 중요하다. 고갱이 고흐의 부탁으로 아를에 왔을 때, 이 외곽 알리스캉에 거처를 정했다고 한다. 묘지 입구로 들어서면 안으로 들어가는 오솔길에 삼나무가 우겨져 있고, 그 아래 돌로 만든 관들이 일렬로 놓여 있다. 귀퉁이가 깨어진 석관들 안을 바라보다 조금 으스스한 느낌마저 들었다. 여긴 관광객이나 여행자가 없었다. 삼나무가 고흐 그림에서보다 더 무성해져서 하늘을 다 가렸다. 삼나무 밑에는 고흐가 이곳에서 그린 그림과 안내판이 설치되어 있다. 아마 삼나무 그림을 여기를 산책하며 그리지 않았을까 싶다. 그도 여기를 왔었다는 사실에 시간의 차이뿐이지, 같은 공간을 거닐었네? 혼자 별생각을 다 하면서 오솔길 끝, 오래된 작은 교회 안으로 들어갔다. 관리가 허술해 보였다. 주변에 석관들이 흩어져 있다. 고흐와 고갱이 종종 이 길을 산책했고 많은 대화를 나누던 곳, 나도 그들처럼 느긋하게 산책하며 사색에 빠져보고 싶었으나 무서웠다. 대충 보고 얼른 묘지를 빠져나왔다.

그다음은 고흐의 흔적을 찾아 운하를 따라 걷기 시작했다. 작은 운하 주변에는 그늘이 될 만한 나무들이 없다. 운하의 폭은 좁아 물살이 좀 세었다. 한참을 걸어 운하 위에 설치된 여닫는 다리를 찾았다. 여긴 가끔 관광객들이 있어 작은 카페도 한두 군데 있고 사람도 보였다. 이 다리는 고흐의 작품 '아를의 다리와 빨래하는 여인들'의 모델 장소로 알려진 곳이다. 고흐의 그림에서는 들리는 다리가 웅장하고 따뜻한 흰색과 노란색인데 지금은 무거운 기중기 같은 우울한 분위기가 들었다. 특히 고흐의 그림에서는 물이 파란색인데 지금은 짙은 초록이고, 빨래하는 여인들도 없어 낭만적인 분위기는 찾아볼 수 없었다. 한낮의 뜨거운 햇볕으로 삭막한 느낌만 들었다. 다시 아를로 걸어갈 생각을 하니 막막했다. 그래도 아를의 변두리 시골 풍경을 감상할 기회를 가졌던 좋은 추억으로 남았다.

저녁에는 호텔 앞 성문을 나서 론강으로 나갔다. 이 강둑에서 고흐가 '아를의 별이 빛나는 밤'을 그렸던 환상적인 장소로 여기도 그의 그림과 안내판이 있다. 강둑에 앉아서 일몰을 봤다. 태양이 황금빛을 발하며 떨어지는 풍광이 끝내준다. 오래 앉아서 시원한 강바람을 즐기려고 했는데 모기떼의 극성으로 포기했다. 풍광이 끝내주는 낭만적인 장소인데 아까웠다. 모기 습격 때문에 일몰을 구경하는 현지인들이나 관광객이 별로 없는 것은 아닐까, 싶었다. 시내를 돌아다니다 한국인 가족을 만났다. 나는 고흐의 작품 세계인 론강으로 그들을 안내했다. 두 번째 방문으로 내가 가이드가 된 것처럼 고흐의 '아를의 별이 빛나는 밤'의 배경을 설명했다. 점점 어두워지면서 다리의 가로등 불빛이 강물에 비치면서 반짝이는 모습이 별 같다는 생각이 들었다. 고흐의 흔적을 찾아다니는 여정이 색다른 매력으로 다가왔다.

빛의 채석장에서
다시 고흐를 만나다

아를에서 아비뇽으로 이동했다. 아비뇽에서는 한 달간 연극축제가 열린다고 해서 일주일 정도 있기로 했다. 숙소는 한인 민박으로 한식을 기대하며 찾아갔다. 민박집에서 운영하는 일일투어를 신청해서 라벤더 투어와 레보드프로방스에 있는 '빛의 채석장'을 갔다.

'빛의 채석장'은 로마 시대부터 근대까지 석회암을 채굴했던 채석장으로, 세계 1차 대전 후에 버려졌던 곳이라고 했다. 그러다 2012년에 내부 공간을 반듯하게 깎아서 넓은 공간을 확보하고, 여러 대의 빔프로젝터로 화가의 작품을 여러 각도로 바닥과 벽에 쏘아 영화같이 생동감 있는 영상을 만들었다. 영상과 함께 좋은 클래식 음악을 입혔다. 일반 대중들이 쉽게 미술을 접할 수 있게 하는 신개념의 예술로 '비디오 아트'라고 했다.

마침 방문했을 때, 고흐의 작품이 공연되어 더 친근감이 들었다. 특히 '감자 먹는 사람들'은 한 사람씩 나눠진 영상이 재미있었다. 실제로 감자를 먹는 듯한 느낌이 들었고 사람들이 살아 움직이는 것 같았다. '아를의 별이 빛나는 밤'은 웅장하면서도 하늘에서 별이 내려꽂히는 듯한 느낌도 받았다. 고흐의 그림들이 세세히 확대되어 눈앞에도 다가왔고, 바닥까지 깔려서 내가 그림 속으로 들어간 듯한 느낌을 받았다. 색다른 미술 세계를 접했다. 이것을 기획한 사람의 창의성이 대단하단 생각이 들었다.

제주도에도 '빛의 벙커'가 있다. 군사 통신시설이었던 벙커를 이용하여 '빛의 채석장'에서처럼 신개념 예술공간으로 만들어져 요즘 핫플레이스로 뜨는 곳이다. 제주도의 '빛의 벙커'는 레보드 프로방스의 채석장의 3분의 1 정도로 작은 대신, 바닥과 벽면이 시멘트로 깔끔하다. 레보드 프로방스의 채석장은 바닥이 고르지 못하고 울퉁불퉁하여 걸음을 옮길 때 조심해야만 했다. 시즌마다 다른 화가들의 작품을 전시하는 것으로 알려져 있다.

남프랑스를 여행하게 되면, 다시 한번 가보고 싶은 미술관이다. 레보드프로방스 자체도 예쁘고 볼 게 정말 많은 곳이다. 빛의 채석장이나 빛의 벙커라는 공간에서 비디오 아트와 같은 영상매체를 기반으로 미술 작품을 볼 수 있어 신기했다. 이런 흐름으로 미루어

보면 앞으로는 더 다양한 예술 장르로 발전하고 창조될 것 같다. 이러한 시도는 일반 대중들이 더 적극적으로 예술 세계에 다가서는 역할을 하지 않을까. 그것만으로도 흥미롭고 기대되는 예술 행위라고 여겨졌다. 기존의 예술이라고 하면 춤과 음악, 미술로 고정된 사고가 확장되는 계기가 된 좋은 체험이었다.

원래 프랑스라는 나라 자체가 예술의 본산지로 볼거리가 넘쳐나는 나라다. 특히 남프랑스, 프로방스 지방은 그 마을들 자체가 예술품인 듯했다. 예술가들이 사랑한 곳으로 볼거리가 풍성하다. 오랜 역사를 품은 성과 성벽들, 돌이 깔린 골목길, 파란 하늘과 초록의 들판, 거기에 라벤더꽃이 보라색으로 들판을 물들이는 6월에서 7월까지는 환상적인 분위기를 연출했다. 인생에서 한 번쯤은 꼭 가볼 만한 여행지로 추천하고 싶은 곳이다.

같이 사는 기술

이세은

이대로 괜찮을까?

삼식이

언젠가 모임에서 남편이 퇴직하게 되면 같이 할 것이 없어 두렵다는 이야기가 나왔다. 아침밥을 먹고 나면 당연히 집에서는 보이지 않아야 할 남편이 하루 종일 집에 있게 된다면 같이 무엇을 해야 할지 알 수가 없다는 말이다. 나이 50이 코앞이니 이런 얘기가 나오는 게 당연하다면 당연한 일이었다. 퇴직하고 집에서 세끼 밥을 다 먹는 남편을 '삼식이'라 부른다는 말이 우스갯소리로 나왔는데 그 말이 왠지 슬프게 들렸다.

'오랜 기간 맞벌이를 했기 때문인지, 같이 나이 들어가는 것에 대한 연민인지 모르겠다. 다만 더 이상 일을 하지 못하게 되어 집에 있을 때 나를 바라보는 가족의 시선이 그렇다면 얼마나 슬픈 일일까'

우리는 사이가 아주 좋지도 그렇다고 아주 나쁘지도 않은 대한민국 평균 부부다. 아이가 어릴 때는 아이의 성장과 기호에 맞춰 살았고, 아이가 크고 나서는 각자 하고 싶은 것을 하거나 집에서 쉬었다. 어쩌다 둘이 여행을 가면 꼭 한 번씩은 사소한 일로 다투곤 했다. 18년을 같이 살았지만 서로 무엇을 좋아하고 싫어하는지 명확하게 알지 못했다. 그래서인지, 남편과의 시간이라는 주제는 많은 생각을 하게 만들었다.

'그래, 퇴직하기 전에 같이하는 취미를 만들면 어떨까? 그러면 자연스럽게 요즘 무슨 생각을 하는지, 고민은 무엇이고, 앞으로 어떻게 살고 싶은지 진지한 대화를 할 수 있을 것 같아.'

수영을 배워볼까

고민 끝에 선택한 건 수영이었다. 동네마다 수영장이 있으니 손쉽게 배울 수 있고, 국내든 해외든 어디서나 가능하고, 생존에도 직결되고, 또 잘하면 폼도 난다.

하지만, 남편은 왠지 우물거렸다. 같은 취미를 만드는 것에는 동의했지만 물에 머리를 담그는 것이 사실은 무섭다고 했다. 어릴 때부터 물가는 위험하다는 아버님의 조기교육 덕분이었다. 같이 수영을 배우려고 하지 않았다면 몰랐을 일이었다. 우리는 휴가 때마다 서핑도 하고 스노클링도 했으며, 심지어 스쿠버다이빙도 했다. 하고 싶지 않다고 한 적도 있지만, 수영을 못해서 그러려니 하고 농담처럼 웃어넘기며 재촉했던 그때가 생각났다. 차마 무섭다는 말을 하지 못하고 안간힘을 다했을 남편을 생각하니 미안한 마음과 고마운 마음이 동시에 들었다.

"혼자면 못해서 부끄러울 수도 있지만, 같이 하니까 괜찮아. 수영을 할 수 있으면 세상이 훨씬 재미있어질걸. 일단 한 달만 배워보자." 감언이설 끝에 월, 수, 금 저녁반을 등록했다. 한창 코로나가 기승을 부리던 때여서 문을 연 수영장을 찾기는 쉽지 않았다. 그러나 지성이면 감천, 가까스로 인근 구에 문을 연 수영장을 발견했다. 코로나 덕분에 등록하는 사람이 적어 그 어렵다는 신규등록을 쉽게 할 수 있었다.

예상외로 강습을 받으러 온 사람들 중 부부는 우리밖에 없었다. 그 때문에 같은 레인 사람들은 놀라기도 하고 신기해하기도 했는데, 대부분이 보기 좋다며 부럽다고 했다.

수영 첫날, 강동구 00수영장 초급반에서 어쩌다 우리는 스타가 됐다.

얼마 동안 다닐 수 있을까 생각했던 수영 배우기는 의외로 잘 맞았다. 그동안 우리는 같이 시청하는 유튜브 수영 채널이 생겼고, 흥미롭게 대화하는 관심사가 생겼다. 수영 후 호프집에 들러서 마시는 맥주는 칭다오 맥주박물관의 맥주보다 훨씬 맛있고 시원했다. 처음 약속한 한 달은 어느덧 2년이 되었다.

여전히 물을 무서워하는 남편은 지금도 발이 바닥에 닿지 않는 수영장은 가지 않는다. 하지만 주말에 자유 수영을 가자고 하는 사람은 남편이고, 기왕이면 수영장이 있는 호텔을 가려고 하는 사람도 남편이다.

자기가 제일 잘한 일 중 하나가 수영을 배운 것이라며 고맙다고 말하는 남편이 나는 고맙다.

이렇게 우리는 수영장으로 여행을 간다.

같이 한다는 건

여행을 가볼까

같이 하기 좋은 것으로 여행만 한 것이 있을까.

나는 여행을 좋아한다. 주 5일 근무가 아닌 시절에도 토요일 오전 근무가 끝나면 집으로 바로 가지 않고 어디든 가려고 했다. 지금도 지칠 때면 여행을 떠나곤 한다.

실내 인테리어 수업을 들으러 폴리텍대학교를 다니던 때였다. 매일 오전 9시부터 오후 5시까지 4개월 과정이었는데 2개월이 지나다 보니 어디론가 떠나고 싶다는 생각이 머릿속을 가득 채우고 있었다. 집에서 학교까지는 전철 타는 시간만 1시간이 걸렸다. 학교는 역에서도 꽤 거리가 있어 약 15분을 걸어야 도착할 수 있었는데, 살다 보면 그런 날이 있다. 분명 같은 길을 걷고 있는데, 이 길이 그 길이 아닌 느낌…. 그날이 그랬다.

살랑이는 바람, 흩어지는 꽃잎, 밝다 못해 노란색으로 보이는 햇살. 날씨는 나에게 떠나라고 이야기하고 있었다. 마침, 목요일이 어린이날이어서 금요일 하루만 결석하면 3박 4일로 여행을 갈 수 있었다. 기회였다.

수영을 같은 취미로 만드는 것에 성공한 우리는 두 번째 취미로 여행을 택했다. 여행은 떠나기 전의 기대감, 여행 중의 설레임, 돌아온 후의 추억이 합쳐져 생각하는 것만으로도 행복감을 주었다. 그렇게 언젠가 TV에서 보았던 금오도 비렁길을 떠올리며 작은 수영장이 있는 여수의 호텔과 금오도의 민박집을 예약하고 여수로 향했다.

여수에는 하모 샤브샤브가 유명한데, 하모는 일본어 하무에서 유래한 말로 갯장어를 뜻한다. 장어 샤브샤브는 처음이어서 조금 긴장했다. 음식은 생각과 달리 비리지 않고 식감도 좋아서 음식을 가리는 남편도 맛있다고 할 정도로 괜찮았다. 하모 거리는 작은 어촌마을에 있었는데 유독 한 집이 눈에 띄었다. 여느 집과 다를 바 없는 그 집은 벽면을 파란색으로 칠한 탓에 마을을 이국적으로 보이게 했다. 일상이었다면 그냥 지나칠 일도 여행지에서는 모든 게 새로웠다.

'여행할 때는 혹시 눈이 아니라 마음으로 보는 것일까?'

호텔에서는 서비스로 야경 크루즈 이용권을 줬는데, 수영에 재미를 붙인 우리는 야경을 보며 수영을 하기로 했다. 수영 하다 고개를 들어 보면 바다가 있었다. 하얗게 빛나던 태양은 얼굴을 붉혔다가 주위를 물들인 뒤 어느 틈에 자취를 감추었다. 그리곤 어둠이 밀려왔는데 이는 조명을 밝힌 돌산대교를 더욱 화려하게 해주었다. 우리는 석양에 감동했고 여기 있음에 만족했다. 같이 하는 수영은 더 할 나위 없이 즐거웠다.

삶을 풍요롭게 만드는 것은 무언가 대단한 것이 필요한 게 아니었다.

이튿날 이번 여행에서 가장 기대했던 금오도로 향했다. 금오도에 가려면 여수 신기항에서 배를 타고 약 30분을 들어가야 했다. 금오도를 온 목적은 비렁길을 걷기 위해서인데, 원래 비렁길은 이 지역 주민들이 땔감을 구하고 어업을 하기 위해 다니던 길로 벼랑길의 사투리다.

비렁길의 5개의 코스 중 오늘은 1, 2코스를 걷고 내일 3코스를 걸은 후 여수로 돌아가는 일정이었다. 5월 초의 날씨는 거의 여름이었다. 우리는 한껏 들떴고 행복했다. 집 나가면 고생이라는 말도 있지만 여행은 그 자체가 힐링이었다. 자연에는 도시에서는 느낄 수 없는 색깔과 향기가 있었다.

1코스를 중간쯤 갔을 때 전과 막걸리 등을 파는 작은 식당이 나왔다. 방풍 전은 이 지역 특산물로 추천이 많아서 기대하고 있던 중이었다. 그런데 배가 고프지 않았고 우리에게는 하이킹을 한다고 준비해 온 김밥이 있었다. 잠깐 고민 후 다음 식당에서 먹자며 그냥 지나쳤는데 더 이상 볼 수 없었다.

아아~ 성수기가 아니면 문을 연 식당이 별로 없다. 보이면 그냥 먹어야 한다.

오동도에 가려져 잘 알려지진 않았지만, 비렁길의 동백꽃도 유명하다. 지금은 시기상 볼 수 없을 거라 생각했는데, 지지 않은 동백꽃을 볼 수 있었다. 만개했다면 더욱 아름다웠겠지만, 아직 남아있는 꽃들은 예상치 않은 선물을 받은 기분이었다.

초록, 그 푸른 숲길을 걷다 끝나는 곳에 바다가 나타났다. 에메랄드색이라고밖에 표현할 수 없는 오묘한 색의 바다를 보며 우리는 마냥 들떴다. 조그만 것에도 감탄하고 신기해했다. 꼭 초등학생이 소풍 나온 것 같았다.

걷는다는 건 분명 힘든 일인데 어째서 우리는 미소를 짓고 있을까? 왜 상대방을 이해하고 이해받는다는 마음이 드는 것일까? 작은 실수에도 눈살을 찌푸리던 우리는 어디로 갔을까?

1코스에 비해 2코스는 그다지 놀랄만한 풍경은 없었다. 하지만 여전히 미소 띤 우리가 같이 걷고 있었다.

2코스의 끝, 3코스의 시작 지점에 예약한 민박집이 있다. 단칸방에 화장실 겸 샤워실이 방을 나와 오른쪽 옆에 붙어있었다. 그래도 그 화장실은 우리만의 단독 화장실이었다. 조금은 낡고 불편한 이 방의 창문으로 우리가 걸었던 바다가 훤히 보였다.

이 마을에서 유일하게 문을 연 식당에서 저녁을 먹고 나와 낙조를 기다렸다. 여름 같았던 날씨는 금세 본래의 기온을 되찾았다. 관광객이 없는 섬의 낙조는 조금 쓸쓸해 보이기도 했다.

3코스는 비렁길 중 가장 전망이 좋다고 했다. 걷다 보니 고개가 끄덕여졌다. 이 길은 바다 둘레길이란 말이 딱 어울리는 코스였다. 걷는 내내 하늘과 절벽과 보석 같은 바다를 볼 수 있었다. 이대로 돌아가기엔 너무 아쉬웠다. 마음이 통했는지 누가 먼저랄 것도 없이 말했다.

"동백꽃이 필 때 또 오자!"

휴일이 즐거워졌다

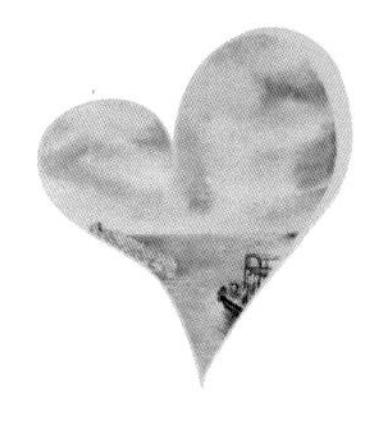

어쩌다 올레길

남편이 "4박 5일 제주도 호텔을 예약했다"고 했다. 아뿔싸, 지난 번 "제주도 갈래?"란 말에 무심코 "가지 뭐"라고 대답했던 것이 화근이었다. '제주도…. 바다. 말곤 볼 것도 없는데…. 내가 왜 그랬지?' 후회스러웠지만 이미 엎질러진 물이었다. 어찌 되었든 관광지와 맛집을 검색하고 카페를 찾아다니는 여행은 더 이상하고 싶지 않았다. 문득 작년에 걸었던 금오도 비렁길이 생각났다. 그때의 햇살과 바람과 공기가 느껴졌다. '맞아, 제주도에는 올레길이 있었지.'

올레길을 찾아보니 7코스가 가장 호평이었다. 호텔은 제주시에 있었는데, 올레 7코스를 걷기 위해 서귀포에 있는 올레 여행자센터를 1박 예약했다. 이번 여행은 매일 올레길을 한 코스씩 걷고 오후에는 수영을 하며 쉬는 일정이었다. 관광지나 맛집을 가지 않으니, 렌터카를 예약할 필요도 없었다. 대중교통을 이용하며 매일 걷는다는 일정에 남편은 약간은 회의적이었다. "올레길은 놀멍, 쉬멍 걷는 거래. 하루 걸어보고 힘들면 그만두는 거야."

6월의 제주도는 덥고 습했다. 지난주엔 비가 왔다고 했다.

"공항버스를 타고 제주공항을 나가긴 처음이네." 맞다, 제주도에 도착하면 제일 처음 하는 일이 렌터카를 인도받는 것 아니었던가. 버스를 타는 것만으로도 제주도가 새롭게 다가왔다. 여행자센터에 짐을 맡겨놓고 7코스를 걷기 시작했다.

걸으니 모든 것이 느리게 보였고, 느리게 보니 선명하게 보였다. 몇 번씩 왔던 제주지만 처음 보는 제주였다.

"분명 놀멍 쉬멍이랬는데 왜 내 눈엔 카페가 안 보이는 거야!" 5시간 반을 걸을 동안 제대로 쉬지 못했다. '가는 길에 자그마한 예쁜 카페가 있다고 했는데, 그래서 다리가 아파도 5분 이상은 쉬지도 않았는데….' 마지막 3km를 남겨놓고 바닥에 앉아 더 이상 못 가겠다며 엄살도 떨었지만 17.6km를 다 걷고 나니 성취감이 밀려왔다. 시작점과 중간 점 끝나는 점에서 올래 패스에 도장을 찍는 재미도 쏠쏠했다. 다리는 아팠지만, 기분은 이상하게 좋았다. 저녁으로 근처 맥줏집에서 소시지를 먹으며 5시간 반짜리 무용담을 이야기하고 또 이야기했다. 내일은 6코스가 예정되어 있었다.

"내일은 어떡할까?"
"당연히 걸어야지!"

같이 하는 취미가 있다는 것은

'삼식이'로 인해 시작된 '같은 취미 만들기'는 좋아하는 것과 싫어하는 것을 공유하며 서로가 몰랐던 부분을 알게 해주었다. 걸으면서 나눈 대화로 자연스럽게 서로의 일상을 이해하게 되었다.

작년 금오도 '비렁길'을 다녀온 후 제주도 '올레길'을 걷게 되었고, 우리가 하이킹을 좋아한다는 것도 알게 되었다. 그 후로도 남설악 '오색 주전골', 동해 '해파랑길'을 걸으며 휴일을 보내고 있다. 멀리 가지 않더라도 '서울 둘레길', '서울 걷길' 등 집 밖으로 나가기만 하면 걸을 수 있는 길이 무궁무진하다. 우리는 날씨가 나쁘면, 수영장 갈까? 하고 날씨가 좋으면, 어디 걸으러 갈까? 한다.

요즘 나와 남편의 휴일이 행복한 이유다.

다양한 문화를 품은
부산 피난민의 발자취를 따라서

이우자

문화의 대표적 장소에서 희망의 길을 걷다

30년 전 퇴직하기 전 김해연수원 교육 참여 후 부산역에서 친구를 만나기로 했다. 증권회사 지점장인 남편을 따라 서울에서 내려와 몇 년째 살고 있는 친구를 만나기로 했다. 역에서 기다리는 동안 노숙 여성과 남성의 싸움이 발생했다. 주고받는 고성의 언어와 격투하며 벌이는 과격한 행동을 피해 커피숍으로 들어갔다. 무서워서 대피한 그곳에서도 부산 특유의 고성 싸움이 더 크게 발생했다. 금방이라도 큰 사건이 발생할 것 같은 분위기에 사람들 얼굴이 경직되었다. 막 나온 커피를 한 모금 들이켜는 둥 마는 둥 한 채 얼른 밖으로 빠져나왔다.

첫 방문의 설렘이 두려움과 비호감으로 바뀌고 그 자리를 피해야 했지만 역광장에서 발길을 옮길 수 없었다. 지루할 즈음 친구의 환한 얼굴이 보였다. 너무 반가웠다. 두근거리던 가슴이 진정되었다.

잘 있었냐? 라는 반가운 인사보다 나도 모르게 이 한마디가 튀어나왔다. "부산 사람들 왜 이렇게 무섭고 억세니?" 했더니 "아니다 부산 사람들이 아니라 항구 도시라서 외지 사람이 40%라서 그렇다며 긍정 부산을 설명해 주었다. 오랜만에 만나 할 이야기는 많고 시간이 너무 빨리 흐른다. 놀다 가라는 친구와 달리 내일 출근하는 날이라서 다음에 만날 것을 약속하고 서울행 기차에 몸을 실었다. 짧은 만남 이후 부산은 연수원에서 쌓은 추억만 남았다.

부산은 매력적인 도시로, 다양한 관광 명소와 맛집, 그리고 아름다운 해안 풍경을 자랑하는 곳이지만 내게는 크게 와 닿지 않는 도시로 인식되었었다. 그 이후 두 번째 방문했다. 사단법인 '새롭고 하나가 된 조국을 위한 모임'(이하 새조위)에서 '통일 열차 사람들, 한반도를 종주하다'라는 주제로 5년 전 부산 지역에 있는 여러 통일 관련 명소를 탐방하는 2박3일 행사에 참여했다. 팀의 리더인 새조위 신미녀 상임대표는 실향민 2세로 전 생애를 통일 운동에 헌신하며 탈북민을 '우리 사람'이라고 부른다. 35년째 통일 운동을 하면서 탈북민들과 희로애락을 함께 하는 분이다. 이번에 민간 통일 운동 유공 정부포상으로 국민훈장 동백장을 받았다. 우리 사회에 먼저 온 탈북민들이 남한에 잘 정착할 수 있도록 전문상담사 양성과 의료상담실 병원의료지원센터 운영 등 통일 열차 관련 프로그램을 기획 운영한다.

이번 행사는 탈북민들과 함께하는 탐방이라서 여러 면에서 의미가 크다"라고 말했다.

안내를 맡아준 강동완 동아대학교 교수는 인사말을 통해 "6·25전쟁 때 북한군의 기습적인 남침으로 서울이 함락되고 잠시 임시수도였던 부산은 통일 관련 명소 도시로서, 북에서 내려온 실향민이 많다"라며 "그 후손과 탈북민들이 부산에서 평양, 청진, 백두산행 비행기를 타고 고향으로 가는 통일의 날이 꼭 올 것"을 기대한다.라고 강조했다.

행사 참석자들은 코로나19 방역 규칙을 철저히 준수하며 6·25전쟁 피난민들이 모여 살았던 흰여울 마을, 세계 유일의 유엔기념 묘지, 국제시장 예전 주한미군 부산기지 사령부 하이리아기념관 이바구 마을 등을 방문하기로 했다. 재단법인 통일과 나눔이 후원했다.

KTX를 타고 여러 명이 즐기는 기차여행의 설렘과 맛이 이런 것인가 싶다. 각자 하는 일이 바빠서 자주 만날 수 없었는데 긴 시간을 한 공간에서 이야기하는 즐거움이 좋았다. 혼자 강의 다닐 때와는 다른 기분이었다. 지루함 없이 부산역에 도착하니 안내해 주실 강동완 교수와 여행사 직원이 반겨 주었다. 점심 식사를 마치고 흰여울 마을로 향했다. 처음 들어보는 생소한 곳이다.

이름처럼 희고 아름다운 곳으로, 자연과 문화가 조화롭게 어우러진 곳이다. 피난민들에게 희망과 안정을 선사하는 공간이다. 흰여울 마을에 도착한 순간, 고요하고 평화로운 분위기가 감싸기 시작했다. 작고 아기자기한 집들이 언덕 위에 옹기종기 늘어서 있었고, 햇살이 가득한 푸른 바다를 배경으로 피난민들의 이야기와 희망이 담긴 문화가 펼쳐져 있었다. 마을 곳곳에는 피난민들의 작품과 공예품, 그리고 다양한 문화 행사의 흔적들이 남아 있었다.

마을을 돌아다니면서 마주치는 사람들은 따뜻한 미소와 환영의 인사로 우리를 친절히 반겨주며 대화도 나누었다. 그들은 각자의 이야기와 문화를 가슴에 품고 있었고, 그 이야기를 듣는 그것만으로도 감동하였다. 우리 일행은 이야기 속으로 빨려 들어가고 있었다. 한 피난민분께서는 고향에서 전해져 내려온 전통 음식을 소개해 주셨고, 다른 분은 그림과 춤으로 자신의 이야기를 표현해 주셨다.

그때 마침 김이 모락모락 나는 감자를 들고나온 구십삼 세 할머니의 이야기, 주머니가 열렸다. 손에 한 양재기 가득 담긴 분 나는 찐 감자를 나누면서 고생했던 그 시절을 행복한 모습으로 회상하셨다. 지금도 그리 넉넉한 생활은 아닌 것 같은데 고생을 낙으로 여긴 인생 선배의 긍정적인 말씀이 존경스럽다. 물질 풍요 속에 많은 것을 누리고 살면서도 만족을 모르는 자신이 부끄러웠다. 점심 식사 직후인데도 한 개를 맛 보고 나니 더 먹고 싶었다. 연세 든 어르신들을 보니 나눔을 잘하셨던 친정어머니가 생각났다. 인간미가 물씬 풍기는 이야기들은 마치 작은 보물 상자를 열어본 듯한 느낌이었다.

흰여울 마을은 자연과 문화가 조화를 이루는 특별한 장소로 마을 주변에는 푸른 하늘과 바다, 산이 어우러져 풍경이 아름다웠다. 해안을 따라 산책을 즐기며 바닷소리를 들으며 마음을 가다듬었다. 이런 순간들은 마치 시간을 멈춘 듯한 특별한 경험이었다.

흰여울 마을에서의 여행은 그 어떤 것과도 비교할 수 없는 감동과 영감을 선사해주었다. 피난민들의 이야기와 문화가 마음에 깊이 남아, 그들의 희망을 느낄 수 있었다. 이곳에서 서로 다른 문화를 가진 사람들과의 교류를 통해 통찰력을 얻었고, 존중과 이해의 중요성을 깨달았다.

흰여울 마을은 피난민들에게 안식처와 소중한 기회를 제공하는 곳으로서 피난민들의 용기와 인내심에 감사하며, 그들과 함께한 시간을 평생 잊지 못할 것이다. 부산 흰여울 마을은 피난민들의 이야기와 문화를 품고 있는 소중한 장소로서, 그 가치를 널리 알리고 지지하는 것이 공동 목표이다. 이곳을 방문한 모든 이들에게도 피난민들의 이야기와 문화에 대한 이해와 관심을 심어줄 기회가 되기를 빌어본다.

두 번째 날은 세계 각국의 희생자와 평화를 위해 헌신한 사람들을 기리기 위해 세워진 UN 기념 묘지를 참배했다. 이곳은 역사적인 의미와 함께 조용하고 고요한 분위기에서 휴식과 감동을 선사해주는 특별한 장소였다. 숙연한 자세로 고개가 숙어지는 곳이기도 했다.

UN 기념 묘지에 도착한 순간, 나를 감싸는 역사적인 분위기와 평화로움이 느껴졌다. 이곳은 전 세계에서 희생을 바쳐 온 인물들을 기리기 위해 세워진 곳으로, 그들의 희생과 헌신에 대한 감사와 경의를 표하는 곳이다. 기념 묘지 중앙에는 유엔의 상징인 세계 지구본이 자리하고 있었고, 그 주변에는 다양한 국기와 기념비가 세워져 있었다.

UN 기념 묘지는 조용하고 아름다운 자연환경 속에 있었다. 맑은 하늘과 푸르른 나무들이 주변을 둘러싸고 있어 마치 평화로운 낙원에 온 듯한 느낌을 주었다. 나무 사이로 비치는 햇살과 바람 소리는 마음을 가라앉히고 내면의 평화를 찾게 해 주었다.

UN 기념 묘지에는 다양한 기념비와 명예의 전당이 있었다. 그들의 이름과 공로를 기록한 기념비 앞에 서서 그들에게 경의를 표하고, 그들의 이야기와 업적을 되새기며 감동하였다. 우리 일행은 하나하나의 이름을 읽으면서 그들이 겪은 희생과 어려움, 그리고 평화를 위해 헌신한 노력에 대한 감사를 표했다. 어린 나이에 미지의 나라에서 고귀한 청춘을 바친 영웅들 누구나 할 수 없는 고귀한 정신 앞에 우린 오래오래 머물며 기도했다. 그들 옆에 홀연히 피어난 튼실한 한 두 송이 붉은 장미꽃이 영웅들을 사랑으로 감싸고 있었다.

UN 기념 묘지는 평화와 인권에 대한 중요한 메시지를 전하는 장소이다. 십 년 전 세계여성대회 대표로 뉴욕에 있는 UN 본부에 참석한 일이 있다. 내 생애 잊지 못할 추억으로 간직하고 있었는데 이곳에서 다양한 평화와 인권 관련 이벤트 행사가 개최됐음을 알았다. 평화와 인권에 대한 의미를 더 깊이 이해할 수 있었다. 또한, 유엔의 역할과 중요성에 대해 재고하고, 세계 각국이 함께 협력하여 평화와 인권을 추구해야 한다는 것을 깨달았다.

UN 기념 묘지는 역사적인 의미와 함께 감동적인 순간을 선사해주는 특별한 장소로 이곳을 여행하면서 나는 희생자들의 이야기와 헌신에 대한 감사와 경의를 표하면서, 평화와 인권에 대한 중요성을 깨닫게 되었다. 평화와 인권을 위해 헌신한 사람들의 기억과 메시지를 전하는 곳으로써, 특별히 통일 운동에 관심이 있는 일행들에게 힘과 용기를 주었다.

묘지를 떠나면서 평화와 인권을 더욱 소중히 여기고, 세계 각국이 협력하여 평화를 추구해야 한다는 사실을 깨달았다. 우리는 각자의 소임을 수행하고, 전쟁보다는 서로를 이해하며 존중하는 마음으로 세계를 더욱 평화롭게 만들어 나가야 하는 사명감을 가져야 한다.

UN 기념 묘지는 평화와 희생에 대한 감사와 경의를 표하는 곳으로 이곳을 방문한 모든 이들이 피난민들의 이야기와 문화에 대한 이해와 관심을 가질 기회가 되기를 바란다. 희생자들의 헌신이 우리의 마음에 계속 살아 숨쉬기를 바라며, 평생 잊지 못할 감명과 깊은 생각을 안고 돌아왔다.

다양성으로 빛나는 부산
평화와 사랑의 길을 걷다

부산을 여행하며 다채로운 문화적인 풍경과 맛, 예술을 경험한 나는 새로운 감명과 깊은 여행 체험을 했다. 해운대를 바라보며 푸른 바다와 햇살이 반겨주는 풍경과 아름다움에 감탄을 쏟아냈다. 해안을 따라 이야기꽃을 피우며 부산의 다양한 문화 체험을 즐겼다. 해수욕장에서 열리는 해운대 송정 페스티벌에서는 해수욕과 함께 문화예술의 향연을 만끽할 수 있었다. 특히 밤에는 부산 국제 불꽃축제에서 불꽃놀이의 아름다움과 화려함에 매료되었다. 부산은 역사적인 유산과 현대적인 문화와 예술이 공존하는 곳이다. 다양한 인종, 문화, 역사적 배경을 가진 사람들이 함께 살아가며 풍부한 문화적 경험을 선사한다. 해안선을 따라 펼쳐진 아름다운 도시로, 바다와 산, 도심과 자연이 조화롭게 어우러져 있다. 선유도, 동래성, 태종대 등을 포함하여 다양한 역사적인 유적지를 보유하고 있다. 이를 통해 부산의 역사와 문화를 체험할 수 있다. 특히 부산항은 수많은 역사적 사건과 물류의 중심지로서 부산의 특별한 문화적 흔적을 담고 있다.

문화예술 공연을 관람하며 예술 세계를 맛보는 추억의 도시이다. 부산시립극장과 부산예술의 전당에서는 다양한 장르의 공연과 전시를 감상할 수 있고, 예술의 아름다움과 표현력에 감탄하며 특별한 시간을 보낼 수 있다. 창작예술의 장이기도 해서 다양한 예술단체와 예술가들을 만날 수 있는 곳이다.

평범한 사람이 다른 세계를 누린 기쁨과 이 모든 경험을 통해 나는 부산을 떠날 때 깊은 감명과 여행의 희열을 안고 돌아왔다. 부산의 매력적인 문화적인 풍경, 맛, 예술은 정말로 특별하고 환상적인 경험이었다. 부산을 여행하며 새로운 감동을 했고, 이곳에서의 경험들은 평생 잊지 못할 소중한 추억이 되었다.

다양성으로 빛나는 문화적인 풍경과 맛, 예술이 공존하는 도시 이곳을 방문하는 모든 이들에게 즐거움과 감동을 선사하는 곳이라고 확실히 말할 수 있다. 부산을 경험하며 색다른 문화와 예술, 풍경을 보면서 진정한 여행의 의미와 가치를 깨달았다. 부산은 매 순간이 환상적인 여행을 선사해주는 도시로, 언제든지 다시 찾고 싶은 곳이 되었다.

마음 맞고 뜻있는 일로 동행하며 늦은 밤까지 깔깔거리며 소리내어 웃는 일행들이다. 깊어가는 밤 쌓인 피로와 스트레스를 해피바이러스로 확 날려버렸다. 나이를 초월한 맑은 웃음소리가 그리울 땐 그 밤을 생각한다.

국제시장은 피난민들이 모여 사업을 시작하고 상품을 판매하는 장소로 알려져 있다. 그들은 전쟁으로 인해 조국을 떠나고, 새로운 환경에서 삶을 시작해야 했다. 힘들고 어려운 상황에서도 희망을 품고 사업을 통해 삶을 지속하고자 했다.

국제시장에는 다양한 문화와 언어가 얽혀있는데, 이는 피난민들의 다양성과 다문화적인 가치를 보여준다. 자신의 문화와 전통을 지키며, 동시에 새로운 문화와 소통하고 협력하며 살아간다. 이는 서로의 차이를 존중하고 포용하는 문화적 가치를 보여준다. 각자의 상품과 이야기를 통해 감동적인 순간들이 생긴다. 그들은 상품을 판매하면서 자신의 이야기를 전달하고, 그들의 흔적과 경험을 나누며 소통한다. 이를 통해 그들의 삶과 희생에 대한 이해와 감사를 느낄 수 있었다.

이러한 국제시장의 이야기에서 얻을 수 있는 교훈은 다음과 같다.

피난민들은 힘들고 어려운 상황에서도 희망에 차 삶을 계속해 나가며 그들의 힘과 용기는 우리에게 희망과 동기부여를 주었다. 그들의 희생과 힘에 감사하며, 우리 자신도 어려움을 극복하고 희망을 품어야 함을 배울 수 있었다. 생동감이 있어 왁자지껄한 국제시장은 다양한 문화와 언어가 얽혀있는 공간이었다. 이는 우리에게 문화적 다양성과 포용의 중요성을 상기시켜 주었다. 서로의 차이를 존중하고 소통하며, 다문화 사회에서 함께 살아가는 노력을 해야 함을 의미한다.

국제시장에서는 각자의 이야기가 상품과 함께 전해지는 듯했다. 이는 우리에게 이야기의 가치와 의미를 상기시키며, 상품 뒤에 있는 이야기에 관심을 두고, 그들의 이야기를 듣고 배울 수 있었다.

피난민들의 노력과 희생을 보여주며 피난민의 흔적으로 엮어져 있지만, 그 안에는 우리에게 교훈과 감동을 전달하는 이야기들이 담겨 있다. 그들의 힘과 희생을 인정하며, 우리 자신도 어려움을 극복하고 희망을 품어야 함을 배울 수 있었다. 또한, 문화적 다양성과 포용의 중요성을 깨닫고, 서로 공존하는 가치와 감사 배려의 마음을 가질 수 있었다. 국제시장은 우리에게 교훈적인 이야기를 전달하며, 더 나은 세상을 위한 행동을 이끌어 주는 소중한 장소였다.

부산은 한국에서 피난민들이 가장 많이 거주하는 도시로 다음과 같은 지역들이 피난민들의 주거지로 알려져 있다. 부산진구는 피난민들이 가장 많이 거주하는 지역으로 다양한 상업 시설과 주거지가 혼재해 있으며, 다문화적인 분위기를 느낄 수 있다. 서구는 다양한 외국인과 피난민들이 거주하는 지역으로 알려져 있는데. 상권과 문화 시설이 있어 피난민들의 생활을 지원하는 인프라가 잘 갖추어져 있는 곳이다.

동구는 다양한 주거지와 상업 시설이 밀집되어 있으며, 피난민들에게 필요한 다양한 서비스를 제공할 수 있는 환경을 갖추고 있다. 피난민들의 이야기와 문화는 부산에서 다양한 장소에서 발견할 수 있다. 이곳에서는 피난민들이 자신들의 고향에서 가져온 문화와 경험을 공유하고, 새로운 환경에서 삶을 이어가는 독특한 문화가 함께 어우러지고 있다. 다음은 피난민들의 이야기와 문화를 대표하는 장소들에 대한 설명이다.

부산 난민지원센터: 부산 난민지원센터는 부산에 거주하는 피난민들을 위한 종합적인 지원을 제공하는 중요한 기관으로 이곳에서는 피난민들의 이야기와 문화를 이해하고, 그들의 다양한 요구와 필요에 맞는 지원을 제공한다. 부산 난민지원센터는 언어 교육, 직업 교육, 법률 상담 등 다양한 프로그램과 서비스를 통해 피난민들이 안정적이고 살기 좋은 환경에서 삶을 이어갈 수 있도록 돕는다.

부산에는 피난민들을 위한 임시 난민 캠프가 설치되어 있다. 이곳은 재난이나 긴급 상황에서 피난민들을 대피시키고 일시적인 숙소와 기본적인 생활 시설을 제공하는 공간이다. 부산 난민 캠프는 다양한 국적과 문화를 가진 피난민들이 모여 함께 생활하면서 서로의 이야기와 문화를 나누고 공감할 수 있는 장소이다.

특히 부산의 중심지인 중구와 서구는 외국인 거주 비율이 높아 다양한 문화적 경험을 할 수 있는 장소로 알려져 있다. 다문화 사회를 대표하는 장소로서 피난민들의 이야기와 문화를 즐기고 체험할 기회를 제공한다. 이들 장소는 피난민들이 안정적으로 삶을 이어 나갈 수 있도록 지원하고, 부산 시민들과의 상호 교류와 이해를 도모하는 역할을 한다. 부산의 다양한 장소에서 피난민들의 이야기와 문화를 경험하고 공유함으로써 우리는 서로를 이해하고 존중하는 다문화 사회를 구축해 나갈 수 있을 것이다. 피난민들의 거주 지역은 주거 환경, 지원 시설, 사회적 네트워크 등 다양한 요인에 영향을 받으며, 지속적인 변화가 있을 수 있다.

통일의 꿈을 키우다

부산 기지사령부 하이리야 기념관은 동구에 있는 박물관으로, 1950년 한국전쟁 당시 미군 제2사단이 부산을 방어하기 위해 세운 진지인 하이리야 진지를 복원한 곳이다. 기념관에는 하이리야 진지의 역사와 미군의 한국전쟁 참전 기록을 전시하고 있으며, 미군의 활약상을 생생하게 느낄 수 있는 헬리콥터와 전차 등도 전시되어 있었다. 하이리야 진지의 역사를 전시한 공간에는 하이리야 진지의 지도와 사진, 미군의 기록 등 미군의 한국전쟁 참전 기록을 전시한 공간에는 미군의 헌신과 희생을 기억하게 하는 군복과 장비, 사진 등이 전시되었다.

기념관을 방문하면서 한국전쟁 당시 미군의 활약상을 생생하게 느낄 수 있었다. 미군은 한국전쟁 당시 북한군의 침공을 막고, 한국군을 지원하기 위해 큰 노력을 기울였다. 미군의 헌신과 희생 덕분에 한국이 자유와 평화를 지킬 수 있음을 재인식하게 되었다. 한국전쟁 참전 기록에 미군은 한국전쟁 당시 총 30만 명이 넘는 병력을 파병했으며, 3만 명이 넘는 병사가 전사했다. 미군은 한국전쟁에서 큰 피해를 보았지만, 한국의 자유와 평화를 지키기 위해 끝까지 싸웠다.

전시물을 보면서 떠오른 생각은 한국전쟁 당시 미군의 헌신과 희생이었다. 1950년 한국전쟁을 겪으면서 큰 피해를 보았지만, 한국은 전쟁 이후 빠르게 경제를 발전시켰고, 오늘날 경제 부국으로 성장했다. 정부의 적극적인 경제 정책과 기업 혁신과 도전 정신 산업 정책을 통해 특정 산업을 육성했고, 경제 개발 5개년 계획을 통해 경제 성장을 이끌었다. 또한, 교육을 통해 국민의 역량을 강화하고, 사회 안정을 통해 투자 환경을 조성했다. 무엇보다 국민의 근면 절약 정신과 부지런함이 발전의 기틀이 되었다고 생각한다.

이바구길 168계단은 1880년대 초에 만들어졌으며, 부산항으로 오가는 배들이 드나들던 포구로 올라가는 길목에 있다. 계단 높이는 약 42m 가파른 계단이다. 어디에서도 보기가 드문 부산의 대표적인 관광 명소이다. 부산의 역사와 문화를 보여주는 상징적인 장소로, 많은 사람이 찾고 있었다. 우리가 방문한 날은 평일이라서 구석구석 여유 있게 돌아 볼 수 있었다. 사전 지식이 풍부한 강 교수님의 상세한 설명을 들으며 당시에 살았던 분들의 느낌까지 공감할 수 있었다. 이런 가파른 언덕배기에서 생명의 소리를 듣는 듯했다. 인간의 능력과 인내의 한계가 어디까지일지? 가쁜 숨을 헐떡거리며 고개 돌려 아래를 보니 아찔하고 먼 곳에 시선을 두니 아름다운 풍경이 시선을 잡는다. 힘들다는 생각보다 생명 유지하기 위해 삶의 짐을 가슴과 등에 지고 오르내렸을 인생 선배님들의 피와 땀 고귀한 정신에 고개가 숙연해지고 가슴이 뭉클했다. 부산항이나 해운대만 생각했던 생각의 폭이 확 달라졌다.

피난민들이 살아온 부산의 역사와 문화를 체험하고 알고 나니 흐뭇했다. 부산의 역사와 문화를 제대로 느끼고 싶은 분들에게 이바구길 168계단을 오르라고 권하고 싶다. 마을주민들의 교통수단이 부산을 찾는 관광객들의 인기 여행코스가 되었다. 이바구길 모노레일이라고 부르지만, 흔히 생각하는 관광 모노레일과는 다르다. 걸어가기 힘든 계단을 쉽게 오르내릴 수 있도록 대중교통 수단용으로 쓰이는 이바구길 엘리베이터는 한 폭의 멋진 풍경화이다. 체험하기 위해 오르내린 곳 시선이 멈추고 발길 머문 곳에 사람이 사는 풋풋한 향기가 스며든다.

내호냉면은 부산의 대표적인 밀면 맛집이다. 냉면을 즐기지 않는데도 명소라니 맛이 어떨지 궁금했다. 1953년부터 60년 넘게 한 자리에서 밀면을 판매하고 있다. 밀면 나오기 전 맛본 만두는 만두피가 쫄깃쫄깃하고 만두소가 평범한 고기만두였다. 푸짐하고 넉넉한 식사를 한 후 밖으로 나오니 내호식당 큰아들이 환영해 주었다. "통일 열차 사람들 한반도를 종주하다" 일행들에게 내호냉면 역사를 재미있게 들려주었다.

넉넉함이 고향 엄마 품 같다. 가파른 언덕배기에서 도시락 흔들어 점심밥을 먹고 찰랑거리는 막걸리 한 잔 나누는 인생길 콸콸 넘치는 정 속에 추억이 쌓인다. 한잔 술은 메마른 대지 위의 에너지가 되었다. 칙칙폭폭 통일 열차 탑승 친구들 막걸리로 건배하세

투츠괼의 붉은 발

이혜진

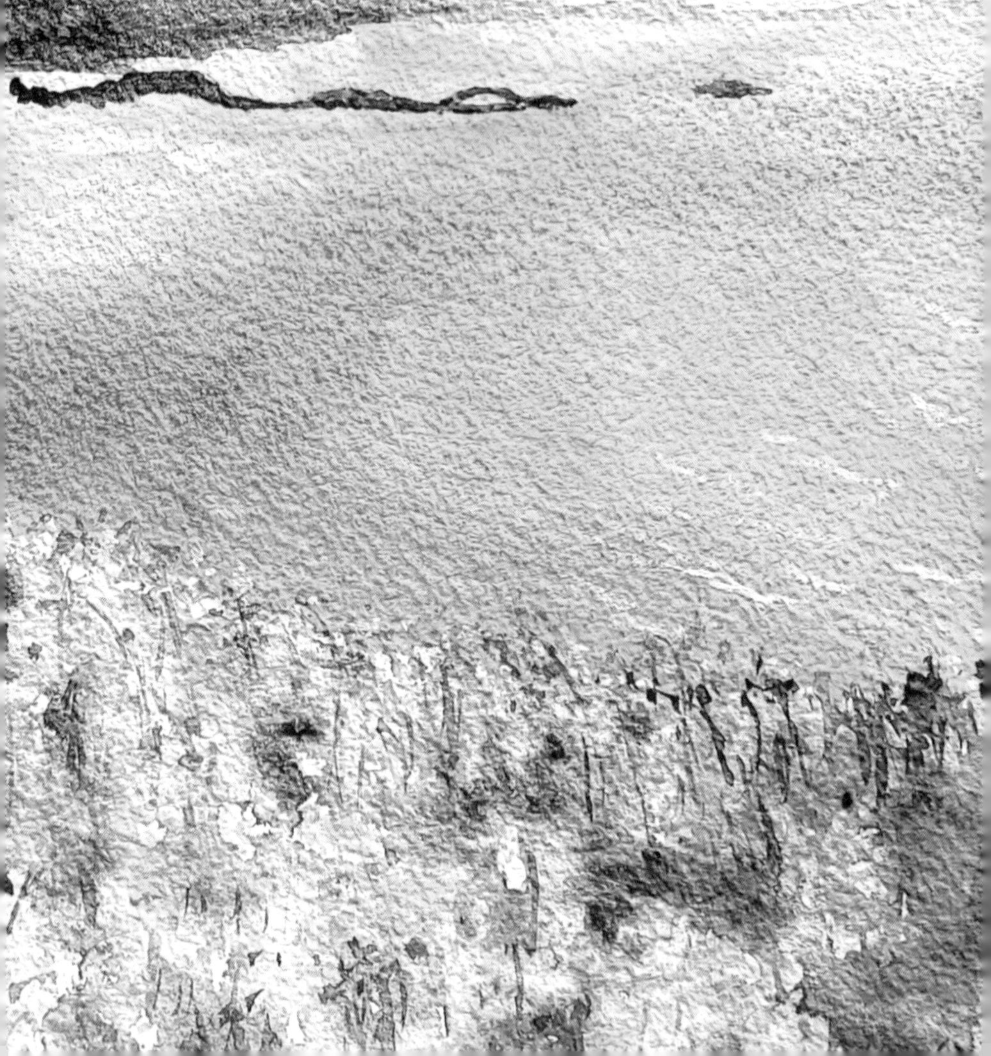

매듭을 지어가며 살아갈 나이

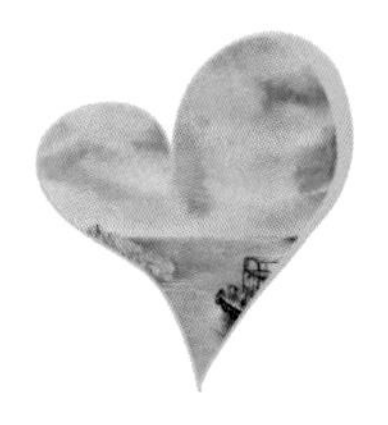

엄마가 혈액암으로 돌아가신 지 8년이 되었다. 76세에 발병하여 3년 동안 투병 생활을 하셨다. 부엌에서 하는 일에는 통 관심이 없던 아버지에게 밥 짓는 것과 세탁기 사용법 등을 가르치시느라 어지간히 속을 끓이셨을 텐데도 내색 없이 묵묵히 끝까지 감내하셨다. 말 한마디 큰소리를 내기도 어려웠던 때였지만 묵은 정을 잘 마무리하시고자, 온 힘을 기울이시는 듯하여 애처로웠다.

그렇게 자식 의지하지 않고 혼자서도 거뜬히 살아가실만하게 많은 것을 가르치셨다. 그러시더니 2015년 여름이 시작될 무렵, 함께 하던 셋째딸 생일날 이른 아침에, 그렇게나 아픈 몸을 힘겹게 세우시더니 한동안 앉아 바라보시고는 조용히 떠나가셨다.

아버지는 이제 92세가 되셨다. 돈암동에서 양재동까지 여전히 전철을 갈아타시며 두 달에 한 번 모이시는 동창회도 나가신다. 엄마 덕에 누구의 도움 없이도 홀로 장도 보시고 국도 끓이신다. 가까이 사는 나는 그간 홀로 지내시는 아버지의 말동무가 되어드렸다. 치매에 걸리지 않으시려고 신문 두 가지를 비교해 보며, 함께 나눌 이야기를 만들어 내신다. 세상 돌아가는 이야기를 나누다 보면, 어느 날은 아버지의 옛이야기로 반나절을 훌쩍 보내기도 한다. 그럴 때면 영락없이 '그땐 왜 그랬는지, 엄마가 참 힘들었을 거야'라며 슬픈 얼굴로 눈을 감으시곤 하셨다.

특히, 엄마와 함께 다니신 산행 이야기를 할 때면 아버지는 처진 눈꺼풀을 치켜올리며 반짝이는 눈빛 아래로 그때 그 시절, 한 사람의 남자로, 남편으로 돌아가는 듯하였다. 교직 생활을 마치시고, 엄마와 함께 일본 후지산에 등반한 이야기는 몇 번이고 반복하셔서 마치 얼마 전에 다녀오신 것같이 생생하게 느껴지곤 하였다.

아마도 두 분에게 있어서 여행은 척박한 삶의 상처들을 덮고 다시, '나'로 돌아가 함께 살아갈 힘을 낼 수 있도록 한 게 아니었을까 생각했다.

1년 터울인 우리 부부는 어느새 결혼한 지 33년이 되었다. 그간 셋이나 되는 아이들 뒷바라지와 바쁜 일상을 탓하며 사실, 여행은 기약도 없이 뒤로 미루며 지냈었다.

동창들 모임을 다녀온 남편이 느닷없이 "이 원장처럼 앞으로 우리도 1년에 한 번씩은 여행 갈 계획을 짜보면 어때?"하며 물었다. 이 원장은 여행을 떠나기 1년 전부터 부부가 함께 그 나라 언어며 문화 등을 미리 익혀 두고, 갈만한 곳을 골라 어떻게 다닐지 계획을 짠다고 했다.

"준비하는 기간도 재미있다는데?" 남편이 사뭇 부러운지 말했다.
나는 내심 '대단하네, 평소에 그리 바쁘게 지내면서 어떻게 그런 준비를 다 하고 가지?' 생각이 들었다.
"아, 그래. 좋아요. 우리도 해봐요."
70세가 넘으면 좋은 추억을 떠올리며 산다는데, 흔쾌히 맞장구를 쳤다.

이제 우리 부부도 인생의 매듭을 지어가며 살아갈 나이다. 많은 것을 잊어버리는 나이가 되어도 함께 추억할 만한 굵직한 매듭이 하나둘 있었으면 좋겠다. 그래야 어쩌면, 우리 아이들에게도 반짝이는 눈빛으로 여행의 특별한 이야기를 할 수 있게 될 테니까.

튀르키예 가자고요?

입버릇처럼 남편에게 말했었다.
"여보, 65세까지만 일해요."
"당신만을 위해서도 살아봐야지."

답이 없던 남편이 어느 날 불쑥, "아무래도 나는 70세까지는 일해야 할 것 같아"하는데, 유독 하얗게 센 귀밑머리가 안쓰러웠다.

요즘에는 친구들 모임에 나가면 어김없이 등장하는 키워드가 어느새 '병원'이 되었다. 아직 그럴 나이는 아니라고 말하고 싶어도 사실, 그렇다. 여기저기 아픈 곳이 생겨나고, 시술이니, 수술이니 이런저런 이야기가 빠짐없이 오간다. 이러다가는 돌아다닐 기력이 없어 옛이야기들로 세월을 보내야 할 때, 할 이야기가 없을지도 모르겠다. '에고' 조바심마저 들었다.

남편의 말대로 1년에 한 번씩 장거리 여행을 실행에 옮기기로 했다. 미리 준비하지 못 한 채 떠나기로 한 여행이기에, 우린 관광회사에서 준비해 둔 패키지여행을 선택하기로 했다. 오랜 시간 자리를 비우기 힘든 일 탓에 큰맘 먹고 연휴를 껴서 7박 9일간 튀르키예를 여행하자고 했다. 튀르키예를 두 번이나 다녀오고서도 다시 가고 싶다는 언니의 권유도 있었고, 한 나라 안에 아시아와 유럽이 걸쳐있는 것도 매력적이었다. 웬만한 관광회사는 튀르키예 여행 일정이 있었으나 그게 그거 같아도 꼼꼼히 비교해 보니, 투즈괼 소금사막 근처에서 하룻밤을 자는 코스는 L 사뿐이었다. 그래서 L사 여행에 합류했다.

12시간 남짓 비행기를 타고 이스탄불 공항에 도착했다. 잠들어 있는 내 팔을 연신 흔들어 대며 남편이 말했다.

"다 왔어."
"튀르키예요?"
이스탄불 국제공항은 2018년 12월, 두바이 국제공항이 개항하기 전까지 세계 최대의 공항이었다. 현재는 유럽에서 가장 이용객이 많은 공항이라는데 그래서인지 많은 사람이 분주하게 오고 갔다.

이스탄불은 경이롭다.

이스탄불은 아시아와 유럽의 경계에 있다. 이에 따라 아시아와 유럽의 문화가 공존해 있어서 동서양이 조화를 이룬 아름다운 건축물들을 감상할 수 있었다. 특히, 현재는 모스크로 사용되는 성소피아 대성당과 블루모스크나 톱카프 궁전의 아름다움은 경이롭기까지 했다.

〈성소피아 대성당〉

돌마바흐체 궁전의 시계는 9시5분에 맞춰져 있다.

튀르키예에는 많은 유적지가 있는데 그 중, 튀르키예의 옛 이름인 '터키의 베르사유 궁전'이라 불리는 돌마바흐체 궁전이 있었다. 화려한 석조 건축물로 세워진 이 궁전은 호화롭기 짝이 없었다. 특이하게도 집무실과 침실의 모든 시계가 9시5분에 맞추어져 있었다.

그 이유는 옛 터키의 초대 대통령이자 '튀르크인의 아버지'로 불리며, 국민의 존경과 사랑을 받고 있는 무스타파 케말 아타튀르크가 이곳 집무실에서 오전 9시5분에 죽었기 때문이란다.

특히, 그분이 남긴 말 중에 '주권은 제한 없이 조건 없이 국민의 것이다'라는 어록은 튀르키예 어디서나 볼 수 있었다.

돈두르마 아이스크림은 쫄깃하다.

단체버스로 이동하다 잠시 쉬어 가는 길에 쫄깃한 아이스크림인 돈두르마도 먹었다. 가게 주인은 돈두르마를 담은 긴 주걱을 휘두르며 흔들흔들 주는 듯, 뺏는 듯, 한참을 기다리게 하고서야 콘에 담아주었는데 이는 보는 이들의 탄성을 자아냈다. 돈두르마는 대부분 콘으로 먹지만, 포크와 나이프를 이용해 썰어 먹기도 했는데, 아이스크림을 접시에 담아 썰어 먹어 보기는 처음이라 무척 신기하고 재미있었다.

카파도키아는 매력적인 화산 지역이다.

만화 스머프의 영감이 되었고, 조지 루커스가 스타워즈의 촬영 장소로 선정하기도 했던 카파도키아는 화산 분진이 쌓여 굳어진 곳이다.

버섯이나 '요정의 굴뚝'이라 불리는 원추형 모양의 신비로운 바위들이 있기도 하고, 방대한 규모의 지하도시도 있었다. 거대한 바위 사이로 걷다 보니 마치 만화 속 주인공이 된 것 같기도 하고 우주 저편 알려지지 않은 행성 어딘가에 와있는 것 같은 기분에 빠져들기도 했다.

데린쿠유 지하도시에 발을 내디디면 저절로 경건해진다. 카파도키아에서 발견한 200개가 넘는 지하도시 중 가장 큰 것은 데린쿠유 지하도시다. 한 농부가 자꾸만 사라지는 닭을 좇아 들어갔다가 땅이 꺼지는 것을 보고 발견했다고 하는데 무려 기원전 7~8세기경에 만들어졌다고 한다.

〈데린쿠유 지하도시〉

최대 깊이는 85m나 되며 무려 2만 명이 살 수 있는 방대한 규모다. 더욱 놀라운 것은 지하도시 내에 각종 편의 시설과 가축 농장을 비롯해 예배당과 학교는 물론, 심지어 감옥까지도 있었다고 한다. 수 세기를 거듭하며 신앙을 지키기 위해, 그곳을 피난처로 여기며 살 수밖에 없었던 기독교인들의 삶을 보는 듯하여 숙연해졌다.

에페소가 성경의 에베소다.

에페소는 기독교 역사에서는 빼놓을 수 없는 중요한 도시로서 6세기 무렵에 세워졌다. 이 고대 도시 피온산 기슭의 경사면에 원형 대극장이 있다. 반원형 운동장 아래에 묻어둔 항아리로 인해 소리가 울려 퍼져서, 마이크 없이도 2만 4천 명이나 되는 사람들이 각종 문화 예술 공연을 관람할 수 있었다고 했다.

또한, 이곳은 검투사들의 검투장 역할은 물론, 굶주린 사자를 풀어 기독교인들을 박해하는 장소로 이용되기도 했다는데, 잠시 서 있자니 마치, 사자들의 포효가 울려 퍼지는 듯했다.

〈에페소의 원형 대극장〉

드디어 파묵칼레에서 열기구를 타다.

카파도키아에서 꼭 해보고 싶은 것 중 하나가 열기구를 타는 것이었다. '100여 개의 열기구가 동시에 떠올라 함께 해돋이를 보면 얼마나 멋질까?' 생각만 해도 가슴이 두근두근했다.

'이런….'

아쉽게도 이른 새벽부터 비가 내리더니 바람까지 불어대는 바람에 기구가 뜨질 못했다.

'파묵칼레에서는 꼭 탈 수 있으면 좋겠다,'

이른 새벽부터 가슴을 졸이고 열기구 집합 장소에 갔더니 이미 정부에서 허가가 떨어졌다며 여기저기서 불을 붙여 열기구를 띄웠다.

'야호'

스무 명이 탄 바구니가 두둥실 떠서 일출을 맞이하니, 숨이 막히도록 아름다웠다. 바구니 밖으로 고개를 내밀어 내려다보니 빨갛게 달아오른 구름 아래로 마치 소복이 쌓인 눈처럼 펼쳐진 석회산이 계절을 잊게 해주는 듯하였다.

투즈괼 소금사막의 아이를 만나다,

비가 오는 듯 마는 듯하더니 해 질 녘, 투즈괼 소금사막에 도착하니 빗물이 자작했다. 곧이어 드넓은 하늘에 석양이 병풍처럼 펼쳐졌는데, 그 넓은 하얀 소금사막에 우리 팀 20명만이 저마다 짝을 지어 작은 점을 찍어 가며 여기저기로 흩어졌다.

마치 하늘 어느 구름 위에 두둥실 떠 있는 것 같았다. 구름 사이사이 새어 나오는 빛을 가슴 한쪽에 담아보고자 자꾸만 큰 숨을 들이켰다. 신고 있던 신발을 벗어 두고 처벅처벅 걸었다. 울퉁불퉁 돌처럼 뭉쳐진 소금 덩이를 맨발로 밟고 다니다 보니 석양에 붉게 물든 하늘이 데칼코마니를 이루어 내 발바닥에 스며든 듯했다. 내 발은 이미 붉은 발이 되어있었다. 잠시 나를 잊었다.

붉은 발끝에 매달린 또 다른 나, 한 아이가 보였다. 그 아이는 마치 '세상에 길든 너를 봐, 달음질치고 싶지 않아? 그래도 괜찮아.'라고 소리치는 것 같았다.

목에 둘렀던 빨간 머플러를 펼쳐 들었다. 나는 무용하는 사람은 아니지만, 긴 머플러를 펄럭이며 여기저기로 뛰어다녔다. 마치 이 소금사막에 혼자 남아 있는 것 같았다.

갈 시간이 되었다고 사람들이 부르는 통에 갑자기 쑥스러움이 확 몰려왔다. 그래도 즐거웠다. 좋았다.

그제야 붉은 발끝의 아이가 낄낄 소리 내며 웃었다. 남편도 낯설게 느껴졌는지 어색한 웃음으로 나를 반겼다.

그날 나는, 투즈괼 소금사막에서 인생의 굵직한 매듭 하나를 단단히 묶어 두었다. 아마도 언젠가 굵직한 매듭을 풀며 그날의 감격을 얘기하겠지. 어쩌면 우리 아이들도 붉은 발끝의 아이를 만나고는 낄낄 소리 내며 웃을지도 모르겠다.

여행을 떠나봐. 붉은 발을 가진 아이의 웃음을 찾을지도 몰라

아이 셋 중 둘째와 셋째는 두 시간 정도 차이로 세상에 나왔다. 쌍둥이만 해도 힘든데 게다가 오빠까지 연년생을 두었다. 아이들 육아에, 일에, 정신없이 보낸 세월을 내가 봐도 잘도 견뎌 내었다. 물론, 돌아가신 엄마의 도움이 없었다면 아이들에게 엄마 노릇 제대로 했을 리가 없지만. 보문동 재개발로 우리가 살던 아파트 옆 동으로 이사하신 이후에, 우리는 하루면 서너 번씩 오고 갔다.

그래서인지 아이들은 험난했던 청소년기를 할머니, 할아버지의 사랑과 헌신 덕분에 무사히 넘겼다.

3, 4년을 같은 아파트에 살다가 우리는 계획에도 없던 이사를 하게 되었다. 그리 멀리 떠난 것은 아니었지만, 오고 가는 길이 멀어져서 오히려 부모님과 함께 보내는 시간이 길어졌다. 얼마 지나지 않은 어느 겨울에 "감기가 너무 오래간다." 걱정하시더니 덜컥, 엄마에게 혈액암 진단이 내려졌다. 조금이라도 힘이 되어 드리고 싶어 적지 않은 시간을 부모님과 함께했다. 투병하시던 3년여 동안 힘들고 숨 가쁜 날들을 묵묵히 감내하신 엄마가 소천하신 이후에는 더 바쁘게 지냈다.

아버지는 92세 노인이라고는 믿기지 않을 만큼 하루에 두, 세 시간씩 운동도 하시고 친구들도 만나시고 교회도 버스를 타고 빠짐없이 나가신다. 더구나, SNS 친구들에게 하루 10여 통의 소식을 주고받으시며 하루를 시작하고 계시니 힘을 내시는 아버지 덕분에 오고 가는 내 발걸음도 한껏 여유롭다.

어느 날, 오십년지기 친구가 내게 말했다.
"살면서 꼭 하고 싶었던 것 중, 앞으로는 못한 걸 해봐야겠어."
"넌, 뭐가 제일 먼저 생각나니?"

"그러게, 나는…. 뭐가 있었지?"
하고 싶었던 것이 뭐가 있었는지조차 잘 기억나지 않아서 며칠을 두고두고 생각해 보았다. 그러다 창고 구석에 꼭꼭 싸매어 둔 옛날 일기장을 들춰보았다.

'그래, 이거였지. 여행.'

엄한 것으로 치자면, 둘째가라면 서러워할 아버지로 인해 대학 때조차 1년에 한두 번 있는 공식 행사인 MT 밖에는 친구들과 여행 한 번 가본 적이 없었다.

'나중에 여행 실컷 하면 되지, 뭐.' 내심 다짐도 했지만, 직장생활에 이어 결혼까지 너무나도 바쁜 20대를 보내는 통에 엄두를 내지 못했다. '결혼도 했으니, 남편이랑 다녀야지.' 한 것이 어느새 30여 년이 지났다. 시집살이에, 아이들 셋을 낳고 키우다 보니 아마도, 기억에서조차 희미한 꿈이 되어버린 것 같다.

내일모레면 환갑이다. 이젠 더 늙기 전에 희미했던 꿈의 조각을 하나하나 맞춰가며 살아야겠다.

언젠가 우리 아이들에게도 '나는….' 하는 물음이 생길지도 모른다. 그럴 때면, 나는 아이들에게 망설이지 않고 "여행을 떠나봐." 라고 말할 것 같다.

어쩌면 거기서, 붉은 발을 가진 아이의 웃음을 찾을지도 모르는 일이니까.

아빠와 함께 떠나는 그림책 여행

최성모

아빠가 행복해야 아이가 건강하게 자란다.

나는 가망이 없는 나라 가난한 나라라고 말하던 1950년대에 태어났다. 나 또한 대한민국 사람은 가난한 나라에서 벗어나 더 잘 살아 보려고 매사에 절약하며 살았다. 비록 형편은 어려웠지만 나는 해외여행을 떠날 수 있는 기회가 오면 경비가 들어도 나에게 투자하고 견문을 넓히는 마음으로 여러 나라를 여행했다,

15개국을 30여 번 넘게 다니면서 느끼는 것은 우리나라 좋은 나라, 축복받은 나라, 살고 싶은 나라라는 것이다. 60여 년 돌아보면 너무나 좋아진 우리나라이지만 인성이 결여되고 악해지는 사람들이 많아지는 것을 보면서 우리 아이들만큼은 잘 자라기를 바라는 마음에서 원인과 방법을 찾아 도움이 되고자 펜을 들었다.

이 책은 아빠들에게 자녀를 키우는 데 도움이 되고 함께 꿈을 이루며 행복하게 사는 데 필요한 가이드북이니, 끝까지 읽고 실천하여 행복한 가정을 이루기를 소망한다.

내 아이와 잘 지내려면 먼저 내 아버지와의 관계가 어떤지 먼저 돌아보아야 한다.

오늘의 나를 있게 해준 아버지와 관계가 좋은 아빠들이 의외로 많지 않다.

왜일까? 그 아버지가 정말 나에게 나쁜 아버지인가?

아버지가 엄마를 때리고 바람을 피웠는가? 나를 때리면서 훈육하였는가? 노름하여 재산을 탕진했는가? 현재의 잣대로 재면 감옥이라도 가야 할 사람들도 많다.

그럼, 그 아버지는 왜 그렇게 살았을까?

첫째, 내 아버지의 아버지는 더 심했을 것이다. 그 아버지 뒷모습을 보면서 학습(學習)이 되어버린 아버지는 '나는 우리 아버지에 비하면 그래도 잘하는 거야' 이렇게 합리화시킨다. 무서운 이야기이다. 나도 어느 날 돌아보면 아버지에게 학습(學習)이 된 것들이 나도 모르게 행동으로 나오는 것을 알게 된다. 내가 나를 잘 성찰하지 않으면 나도 아버지처럼 살 가능성이 크다. 이제라도 아버지에 대한 나쁜 기억은 지워버리고 용서하자. 아버지를 위해서가 아니라 내 아이에게 물려주지 않기 위해서, 내가 행복하기 위해서 말이다. 나쁜 기억(記憶)이 나쁜 생각을 하게 한다. 나쁜 생각을 계속하면 내 마음도 힘들지만, 나쁜 행동, 나쁜 말을 하게 된다. 나쁜 행동, 나쁜 말을 하다 보면 나는 나쁜 사람이 되는 것이다. 나쁜 사람인 나를 보면서 내 아이도 나쁜 아이가 되어간다면 얼마나 무서운 일인가!

둘째, 그래도 아버지가 용서가 안 되면 아버지의 삶을 되짚어 보자. 아마도 결혼해서 자녀 낳고 잘 살고 싶었을 것이다. 좋은 남편, 좋은 아버지가 되고 싶었을 것이다. 처음부터 나쁜 마음으로 결혼한 사람은 없었을 것이다. 모든 게 생각대로 되지 않고 힘들어지면서 스트레스를 푸는 돌파구를 잘못 찾은 것이다. 그러면서 내 자식만큼은 잘 키우고 싶어서 어떻게 잘 양육해야 하는지 자녀 양육 방법을 배운 적이 없다 보니 본인의 방법대로 했을 것이다. 남자니까 강하게 키워야 한다는 생각만 했지, 상처받는다는 생각까지는 못 했을 것이다. 아버지에게 서운한 것이 몇 가지인가? 적어 보자. 그리고 훨훨 태워 날리자. 아버지 용서합니다. 그리고 사랑합니다.

셋째, 아버지를 사랑하려면 해야 할 것이 있다. 긍정의 마음으로 무장을 하고 펜을 들자. 아버지에 대한 고마운 것을 적어 보자.

1. 아버지가 한국인이어서 감사합니다. 북한 사람이 내 아버지가 아니어서 감사합니다.

2. 세상에 빛을 보게 해주시니 감사합니다.

이제부터 A4용지를 놓고 3번부터 적어 보자. 며칠 전 독서 모임에 갔는데 60이 넘으신 분이 말씀하셨다. 형님과 사이가 평생 안 좋았는데 이제 화해를 하고 싶어 펜을 들었다고 한다. 처음에는 생각이 안 나더니 그래도 곰곰이 생각하니 생각이 나서 적은 다음 형님을 만나서 고마웠던 것을 나누었다고 한다. “형님, 제가 공부 잘해서 공무원 되어 이렇게 잘 살았던 것이 제가 잘나서 그런 줄 알았어요. 다시 생각해 보니 형님이 남들은 방바닥에 엎드려 공부할 때 목공소 다니면서 동생들 공부 잘하라고 책상을 짜주셨지요. 책상에서 공부를 하여서 공부를 잘하게 되고 공무원까지 되었어요.” 하면서 형님에게 고마웠던 것들을 이야기했더니 형님이 듣고는 너무 좋아하셨다. 그다음부터 시골에 내려가면 너무나 반가워하면서 대접이 달라졌다고 하였다.

전쟁을 겪고 얼마 되지 않았을 때 태어난 우리들의 아버지는 의식주를 해결하느라 자녀의 감정 같은 것을 신경 쓸 겨를이 없었을 것이다. 아니 그런 말조차 들어본 적이 없었을 것이다. 그 시대에 아버지도 잘살려고 노력하였고 최선을 다하셨다고 생각하며 이해를 해주자.

오늘 시간을 내서 아버지께 전화를 드리자. 표현도 잘 못하는 아버지에게 사랑한다고 먼저 말하자. 고맙다고 말하자. 그리고 더 잘하지 못해서 미안하다고 말하자. 내 아이에게 너무나 소중한 아빠들이여 말로 안 되면 문자라도 보내자.

넷째, 결혼은 왜 했는가? 여러 이유가 있었겠지만 그래도 사랑하는 마음이 있어서 했을 것이다. 사랑이 무엇인가? 성경에 여러 가지 나와 있지만 내가 내린 결론은 ‘보살핌’이다. 사랑하는 사람이 잘 살도록 보살펴 주는 것이다. 이렇게 생각하면 마음이 평안하고 행복한데 그러지 않을 때는 왜일까? 내가 손해 본 느낌이 들어서 아닐까? ‘내가 더 양육을 많이 하잖아, 근데 왜 이 정도도 못 해줘? 내가 돈 더 많이 벌잖아! 그러면 이 정도는 해야지.’ 하면서 계산하고 따지면서 섭섭함이 오는 것이다. 내가 더 잘할 수 있는 것은 감사할 일이다. 부부 중 너무 한 사람만 잘 되어도 상대적 빈곤이 온다. 이에 따라 소외감이 올 수 있다. 함께 행복하고 꿈을 이루며 성공하도록 잘 보살펴 주어야 한다. 가정에서의 생활이 행복해야 평안한 안식처가 생기는 것이다. 가정을 소홀히 하면 나이 먹어서 갈 곳이 없다. 아빠가 없는 생활에 익숙해진 아이들과 아내는 갑자기 집에만 있는 아빠가 불편할 수 있다. 100세 시대에 함께 할 가족을 잘 보살피며 좋은 아빠가 되자.

다섯째, 내 아이 잘 키우는데 제일 좋은 도구는 무엇일까? 오늘 당장 잠깐이라도 안 먹으면 죽는 것이 있다. 무엇일까? 공기이다. 며칠만 안 먹으면 문제 되는 것은 무엇일까? 물이다. 우리가 살아가는데 제일 중요한 것은 하나님께서 아무 대가 없이 주셨다. 돈이 없어서 공기를 못 마시고 물을 못 먹는 사람은 없을 것이다. 교육도 마찬가지이다. 공기와 물 같은 존재가 교육에서는 자연과 책이다. 자연과 책은 공기나 물처럼 큰 비용이 들지 않는다. 자연과 책을 통해 사랑스러운 내 아이 잘 키워보자. 키케로는 "정원과 도서관이 있으면 필요한 모든 것을 갖고 있는 것이다."라고 말하였다.

정원은 우주 속에 있는 대자연을 말하는 것이다. 대한민국만큼 가까운 곳에 자연이 있는 나라도 드물다. 마음만 먹으면 언제든지 자연과 함께 할 수 있다. 나는 나쁜 계모보다 더 나쁜 엄마와 힘들게 살았지만 잘살고 있다. 그때는 부모가 신경을 안 써도 지금처럼 문제가 되지 않았다. 자연 속에서 친구들과 많은 형제와 함께 자라며 스스로 배워 나갔다. 밤에는 할머니가 옛날이야기 해주며 온 마을이 아이들과 함께해 주었다. 아인슈타인도 산책하며 생각을 했고 버지니아울프도 에밀리 디킨슨도 정원을 가꾸며 자연을 좋아하였다.

하지만 지금은 부모님이 내 아이에게 관심 갖지 않으면 삭막한 도시 속에서 친구도 만나기 힘든 세상에 인터넷에 너무 노출이 되어 자칫 괴물이 되어갈 수도 있다. 자연을 좋아하게 해주어 좋은 인성을 갖게 하자.

여섯째, 책의 중요성은 말하지 않아도 너무나 잘 알고 있다. 지금의 아이들에게는 더욱 중요하다. 핸드폰, TV. 게임 등 인터넷에 너무 많이 노출되어 있고 모든 지식은 네이버와 AI가 다 해결하는 세상에서 살다 보니 생각을 깊이 안 하려고 하여 단순해지고 인내심이 약해져 가고 있다. 어릴 때부터 자연과 책을 좋아하게 해주면 좋은 성품을 가진 인재로 자랄 것이다.

이제 자연과 책을 좋아하게 해줄 여행을 아이랑 손잡고 떠나자. 출발!!!

아빠와 함께 떠나는 그림책 여행

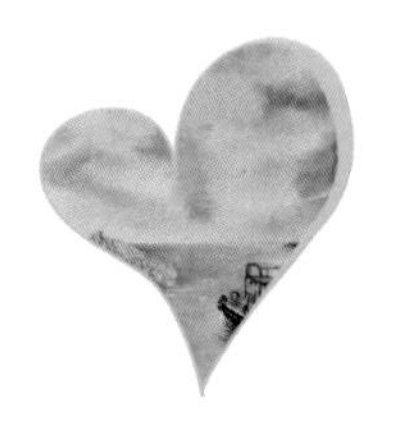

잠깐! 그림책 여행을 떠나기 전 상식 하나 짚고 가자. 내가 동화책을 잘 모를 때는 아이들이 읽는 책은 동화책이라고 하는 줄 알았다. 그리고 책을 선정할 때는 글밥의 양을 가지고 선정하였다. 글밥이 적으면 어린 연령에게 선정해 주었다. 글밥이 많아지는 대로 연령을 구분하였다. 그런데 아이들 책은 글밥보다 그림이 더 중요하다는 것을 알게 되었다. 유아기 때는 우뇌가 왕성하게 발달하는 시기이기 때문에 그림의 이미지를 보고 많은 상상을 하면서 창의력이 발달하기 때문이다. 동화책은 어린이가 읽는 책이고 그림책은 0세부터 100세까지 읽는 책이다. 그림책은 아이에게 들려준다고 생각하기보다는 함께 느끼고 힐링하는 것이다. 그림책을 보면서 자녀와 함께 그림책 여행을 떠나자.

햇볕 쨍쨍한 날의 기적 - 샘 어셔 -

햇볕 쨍쨍한 날 한 해 가운데 가장 더운 날 아이랑 무엇을 할까요? 그림책 모임을 하면서 엄마들에게 물어봤더니 "집에만 있어요." 하였어요. 이 책의 주인공은 "햇볕이 사막보다 뜨겁고, 태양 표면보다 뜨거워요." 했더니 "모험을 떠나기 좋은 날이구나."라고 하면서 제일 뜨거운 곳으로 여행을 떠나는 내용이에요. 인상 깊은 것은 아이에게 망원경을 맡기고 할아버지가 지도를 보는 일을 맡아서 여행할 곳을 아이가 결정하게 하는 거였어요. 그림에도 보면 아이가 앞장서서 가고 있지요. 우리는 아이를 키울 때 주도권을 부모님이 갖고 따르게 하는 경우가 많지요. 이 책에서는 함께 의논하며 여행합니다. 여행은 비싼 돈 들이고 멀리 가지 않아도 됩니다. 우주가 아이들의 놀이터에요. 햇볕 쨍쨍한 날, 비 오는 날, 눈 오는 날 많은 경험을 해줄 수 있어요. 이 책을 자녀와 함께 읽어보고 아빠와 함께 햇볕 쨍쨍 내리쬐는 날 여행을 추천합니다.

야호 비 온다 - 피터 스피어 -

이 책은 글자가 하나도 없고 그림으로만 되어 있어요.

유치원에서는 귀가 지도할 때 비가 오면 난감한 일이 생겨요. 갑자기 아이들이 비를 맞고 싶어서 뛰어나가기 때문이지요. 엄마들은 비를 맞게 했다고 섭섭해하는데 아이들은 신나서 뛰어다닌답니다.

비 오는 날 우리 아이는 몇 가지 경험했을까? 장화 신고 걸어보기, 우산 쓰고 걸어 보기, 비옷 입고 걸어보기, 웅덩이 물 튀기기….

이 책에는 비 오는 날의 경험을 84가지 그려 놓았어요. 비 오는 날 5가지 기억이 있는 아이와 84가지 기억이 있는 아이와 어떤 아이가 더 많은 상상을 하며 창의력이 뛰어날까요? 책을 읽고 난 후 아이와 함께 빗속을 여행해 보아요.

우리는 이 행성에서 살고 있어 - 올리버 제퍼스 -

올리버 제퍼스는 아이가 태어난 지 2개월부터 이 책을 만들어 날마다 들려주었다고 해요.

2개월 된 아이가 무엇을 알아듣겠는가? 아버지의 마음은 네가 살아갈 이 우주는 이렇게 대단한 곳이야. 밤하늘의 별, 태양계, 바다 그 속에 살고 있는 것들, 신비한 사람들, 너를 사랑하는 아빠가 있다는 것 그리고 많은 사람 속에서 꿈이 이루어지게 해주고 싶었겠지요. 이런 얘기를 들려주는 아빠가 있는 아이는 얼마나 행복할까요?

엄마는 원하지 않는 내가 태어나 나에게 관심도 없었지만, 아버지에게는 하나밖에 없는 딸이었다. 때로는 무서운 아버지였지만 내가 초등학교에 가니 국어책을 저녁마다 읽어주고 따라 읽게 하였다. 동화책 한 권 없는 집에서 국어책이 유일한 책이었다. 날마다 읽다 보니 책 내용을 눈감고도 알 수 있었다.

교육을 전공하고 보니 아버지가 나에게 가르쳐 준 책 읽기가 내가 공부를 잘하는 데 큰 영향을 주었다. 딸에게 해줄 수 있는 최선을 다해 주신 아버지가 고마울 뿐이다.

'이 행성에 살고 있어'를 들려주며 사랑스러운 아이와 우주여행을 함께 떠나요.

책이 좋은 걸 어떻게 - 루시아나 에 루카, 신시아 알론소 -

책이 좋은 걸 어떻게 저자 루사아나 에 루카는 아버지께 "늘 내 곁을 지켜준 아빠, 나를 책벌레로 만들어 주셔서 고맙습니다. 밤낮없이 책을 읽는 테오와 엠마에게도 고마움을 전합니다."로 감사의 글을 썼어요. 그림을 담당한 신시아 알론소도 "내게 독서와 여행을 가르쳐 주신 부모님과 파블로와 실비아 고맙습니다."라고 했다. 아이들에게 많은 재산을 물려주려고 힘 빼지 말고 아이들과 함께하는 시간을 가지며 좋은 추억을 물려주세요.

집에 가서 거실문을 열면 무엇이 보이나요? TV가 있다면 TV를 보겠지요. TV를 다른 곳으로 옮기고 거실에 서가를 만들어 주세요.

이 책에 나오는 주인공 집처럼 서가를 만들어서 자녀들이 책이 친구가 되게 해주세요. 책상에 앉아서 정자세로 책을 봐야 될 때도 있지만 아빠랑 함께 이야기 나누며 놀이하듯이 보는 시간도 갖게 하여 일단 책을 좋아하게 해줘야 해요. 부엌에서도 식탁 밑에서도, 목욕을 하면서도, 정원에 나가서도 특별히 잠들기 전에는 꼭 읽어 주어 꿈나라에까지 연결되게 해주세요. 책을 통한 여행은 가성비가 들지 않으며 놀라운 다양한 효과가 있어요. 책을 들려줄 때 주의할 점은 아이를 가르치려 하지 마세요. 아이는 왔다 갔다 건성으로 듣는 것 같지만, 다 듣고 있고, 생각하고 있어요. 그림책은 0세부터 100세까지 읽는 책이니 나에게 들려주는 거라 생각하며 함께 들어주는 아이에게 감사하면서 나 자신이 책에 빠져 힐링하면 돼요.

그림책 지도의 대가 최영애 박사는 책을 들려준 뒤 아이들에게 잘 들어줘서 고마워 이렇게만 해도 충분하다고 했어요. 알았지? 3번 들려주는데 아직도 이해가 안 되니? 이런 말을 통해서 오히려 애쓴 것들이 나쁜 기억으로 마무리되면 안 돼요. 그 말에 공감하여 나도 아이들에게 그림책을 들려준 후 '잘 들어줘서 고마워'로 끝을 낸답니다.

미국에 있는 손녀는 여행을 가면 책부터 챙겨요. 나 또한 미국에 아이들을 보러 가면 그림책부터 챙겨 넣으며 좋아할 손주들을 생각하며 미소를 지어요. 아이들과 함께 그림책을 통해 관계가 회복되고 좋은 아빠로 기억되게 해주세요.

쿠키 한 입의 인생 수업 -에이미 크루즈 로젠탈, 제인 다이어 -

내 아이가 좋은 언어를 쓰는 사람이 되어 사람들에게 사랑을 받고 행복하게 살기를 바라는가? 이 책의 저자도 아버지에 대한 좋은 기억을 책 첫머리에 썼다. 이 수많은 멋진 말을 가르쳐 주시고 쿠키를 아주아주 좋아하는 아버지께 감사하며 아버지를 그리며 쓴 책이라고 하였다.

스티븐 스필버그 감독이 어렸을 때 아버지는 별이 뜨는 밤이면 사막의 넓은 벌판에 카펫을 깔아놓고 밤하늘의 별을 보며 꿈을 꾸게 하였다. 그때 받은 영감으로 E.T라는 영화를 만들어 대 성공을 거두었다. 아버지의 말 한마디, 행동 하나가 아이의 일생을 좌우한다. 이 책은 너무나 감미롭고 예쁜 말이 나온다. 쿠키를 향해서 출발!

서로 돕는다는 것은 이런 거야, 내가 반죽을 저을게. 너는 초콜릿 조각을 넣을래? 참는다는 건 쿠키가 다 익을 때까지 기다리고 또 기다리는 거야. 겸손하다는 건 쿠키를 진짜 잘 구웠어도 동네방네 자랑하고 다니지 않는 거야. 정말 그렇더라도 말이야. 어른을 공경한다는 건 갓 구운 쿠키를 맨 먼저 할머니께 드리는 거야. 부정적이라는 건 “어떻게, 속상해, 쿠키가 반쪽밖에 안 남았어.” 하고 생각하는 거야. 긍정적이라는 건 “와! 쿠키가 아직 반쪽이나 남았네."라고 생각하는 거야. 100번을 읽어도 또 듣고 싶은 언어. 어떤 것도 표현이 가능한 한글에 감사하면서 아이랑 쿠키 여행을 떠나자.

우리 가족은 정원사입니다 - 조안나 게인즈와 아이들 -

어떤 어려운 일도 해낼 수 있으니 실패하더라도 절대 포기하지 말라고 가르쳐 준 우리 아빠에게 드립니다. 조안나는 아빠에게 감사하며 그림책을 시작합니다.

우리 가족의 정원 이야기는 아빠가 고사리 화분을 사 오면서 시작이 돼요. 경험이 없는 가족들은 처음에 사 온 고사리를 죽이지만 포기하지 않고 문제들을 해결하면서 마침내 가족 모두 정원사가 되고 원하는 정원을 가꾸며 엄마의 꿈도 이루게 해주고 있어요. 우리들의 삶도 정원에서 일어나는 상황들과 비슷한 게 많아요. 온 가족이 힘을 합하여 하나 되면 이겨낼 수 있어요. 이 책을 보면서 주어진 환경 속에서 가족이 하나 되어 행복한 가정을 가꾸는 정원사가 되기를 소망합니다.

아빠와 함께 떠나는 곤충 여행

우리나라에 유일하게 20여 년 곤충을 연구하면서 곤충에 관련된 많은 책을 내신 한영식 선생님과 우리 원에서는 아빠와 자녀들과 함께 곤충 탐사를 하였다.

학교 가기 전 담력도 기를 겸 저녁 시간에 수봉산에서 하였는데 아빠랑 아이들이 너무나 좋아하였다. 헤드랜턴을 끼고 불을 밝히어 곤충을 채집하며 관찰하고 함께 놀아보고 돌려보내 줬다. 곤충의 종류와 이로운 곤충, 해로운 곤충도 배우며 아빠들도 신기해하였다.

독일은 어렸을 때부터 숲 유치원이 활성화되어 있어서 자연에서 얻은 아이디어를 가지고 기술 강국이 되었다고 하였다. 나도 독일의 숲 유치원을 방문해 보았지만, 어렸을 때부터 자연교육을 매우 중시하고 있는 것을 보았다. 창의력 교육의 원천이 되는 자연 교육을 선진국에서는 기본으로 지도한다.

드론은 꿀벌(수벌)이란 뜻으로 꿀벌을 보면서 개발한 꿀벌처럼 비행하는 비행체이다. 잠자리의 놀라운 구조를 보면서 독일에서 전투기 조종사의 비행복을 계발하였다. 비행복 이름도 잠자리를 뜻하는 Libelle로 하였다. 새처럼 날기를 꿈꾸었던 레오나르도 다빈치가 있어서 라이트 형제에 의해 비행기가 발명된 것처럼 자연의 생물들은 인간에게 무한한 아이디어를 제공해 준다. 최근 계발된 초소형 파리 로봇, 장수풍뎅이 비행 로봇 등 곤충들은 산업공학의 유용한 모델이 되어 주고 있다.

- 파브르가 들려주는 자연곤충이야기에서 발췌 -

곤충학자 파브르는 7살 무렵 아버지가 사주신 동물 전집과 책으로 공부하였다. 어렸을 때부터 곤충에 관심이 있었던 파브르는 첫 월급으로 벌레와 꽃 새들을 위한 책을 사서 볼 정도로 관심을 가졌다. 마침내 파브르 곤충기를 쓰면서 유명해졌고 곤충학자 박물학자가 되었다. 놀이터만 나가도 개미가 기어다니고 작은 공원에 가도 많은 곤충을 만날 수 있다.

아빠랑 함께 곤충 여행을 떠나자.

추천 도서: 쉬운 곤충 책, 신기한 곤충 이야기, 동식물 이름 비

교 도감, 숲속 생물 이야기

한영식 선생님이 집필한 곤충 생물에 대한 책들을 권장하며 실제로 박물관이나 공원에 가서 체험해 보기를 권장한다.

엄마의 백 마디 말보다 아빠의 엄지척 한번이 효과가 더 크다

우리들의 잠재의식 속에서는 결혼 대상자를 엄마 아빠를 보면서 결정한다. 나는 아빠 같은 사람과 결혼할 거야. 나는 아빠 같은 사람과 결혼하지 않을 거야. 나는 엄마처럼 살지 않을 거야. 나는 엄마처럼 살 거야.

여자는 아빠를 기준으로 결혼 상대를 고르다 보니 '아빠처럼 술 먹는 사람은 싫어. 아빠처럼 욕하는 사람은 싫어'하면서 그 부분이 해결되면 괜찮다고 생각하면서 잘못된 판단을 하기가 쉽다. 아빠도 엄마도 한 인간이어서 실수도 하고 잘못도 할 수 있는데 어쩌란 말인가? 완벽한 사람은 아무도 없다. 그럼 어떻게 해야 될까?

엄마 아빠가 조금 생각하면 답이 나온다. 끝까지 읽어보고 실천하자.

엄마, 아빠에게 드리는 부탁

1. 아빠를 우리 집 대장으로 세워주세요. 지금은 아빠 없이 돈만 있으면 잘 키울 것 같지만 중학생만 되어도 혼자 힘으로 키우기 어려워요. 중학생이 되면 엄마는 편하니까 상상할 수 없는 것을 해달라고 요구할 수가 있어요. 어떤 결정권도 아빠랑 의논하여 함께해야 한다고 상기시켜 놓으세요. 아이들이 의견을 내면 "알았어. 엄마는 충분히 이해가 돼요. 우리 집 대장은 아빠니까 아빠와 이야기를 해보고 결정하자." 하면서 많은 시간을 가지고 충분히 의논하세요.

2. 아빠가 집에 일찍 들어오고 싶도록 해주세요. 나 힘든 거 알아달라고 힘들었던 일, 아이가 말썽 피운 이야기를 하기보다는 반갑게 맞아주세요. 아이들 재롱을 보여주며, 믿어주며 우리 아빠 최고라고 해주세요. 남자들은 의외로 단순해서 자존심 세워주면 목숨을 걸고 일을 해내고 자존심 건드리면 언어의 능력이 여자보다 떨어져서 화를 내요. 집이 안식처가 되게 해주세요.

3. 부부는 의지하는 것보다 서로 꿈을 이루며 잘 살도록 보살펴주는 거예요.

4. 마법의 언어를 사용해 주세요. 미국이 강대국이 된 이유 중의 하나가 3개 단어를 수시로 사용해서라고 해요. 아이들이 미국에 살아서 미국에 자주 가는데 정말 그래요. 지금은 그나마 많이 좋아졌지만, 예전에는 남자가 이런 말을 자주 사용하면 한국에서는 채신머리없다고 생각했었지요. 이제는 달라져야 해요. 날마다 이 말을 사랑하는 가족에게 만나는 사람들에게 해주며 살맛 나게 해줘야 해요.

"I Love You!" 웃으면서 날마다 아내에게 남편에게 아이들에게 누구에게나 해주세요. 사랑해요. 사랑해요.

“Thank You!” 고마워요! 감사해요! 날마다 감사하세요. 유치원 다녀와서 고마워. 내 딸이어서 고마워. 밥해줘서 고마워요. 직장 잘 다녀와서 감사해요.

“I'm sorry!” 우리는 미안하다고 말하는 것을 너무나 어려워해요. 내가 뭘 잘못했는데? 자존심도 없나? 비굴한 언어는 아닌가? 남 탓을 하면 이 말이 안 나와요. 나의 문제를 바라보며 대화할 때 관계가 좋아지고 문제가 해결돼요. 더 잘해주지 못해 미안해요. 내가 부족해서 미안해요. 노력할게요. 특히 자녀에게 지나치게 훈육하거나, 섭섭한 일이 있었을 때는 그날로 풀고 넘어가면 기억에 담아두지 않아요. 해결하는 언어로 3가지를 사용하면 돼요. “우리 아들 사랑해, 그리고 아빠는 너를 믿어요. 내 아들이어서 너무 감사해요. 조금 전에는 아빠가 아들에 대한 욕심이 과했나 봐. 네가 그렇게 할 때 버릇이 없어서 잘못될까 봐 화가 났어요. 아들은 그때 왜 그랬을까?” 충분히 들어주고 “그랬구나.” 해주면서, 마음을 이해하면서 “아들도 그런 아빠를 보면서 섭섭했겠구나. 미안해 아들. 아빠도 노력할게.” 이렇게 3단어를 사용하면서 엄지 척 한번 해주고 안아주고 그날로 풀어주면 좋은 아빠로 기억하며 아빠를 좋아하게 될 거예요.

좋은 기억(記憶)이 좋은 생각이 되고 좋은 생각이 좋은 행동이 되어 좋은 사람이 되어요.

좋은 아빠의 기억이 좋은 아빠로 생각이 나고 아빠에게 좋은 행동을 하게 되어요.

내 아이에게 좋은 기억(추억)을 물려주세요.

아빠 힘내세요. 우리가 있잖아요. 힘내세요!

50대 은퇴 부부가 싸우지 않고 즐겁게 차박 캠핑하는 법

황경하

차박 시간과 장소가 자유롭다

남편은 낚시꾼이다. 젊었을 때는 우리나라 전국에 있는 산 정상에 올랐다. 옛날 사진을 보면서 자랑해서 알게 되었다. 결혼을 하고 자식을 낳았다. 남편은 자상하고, 가정적인 사람이다. 아이들이 어릴 때 잘 놀아주고, 여행도 많이 다녔다. 강가에서 캠핑을 하고, 아이들과 물놀이하며 놀아주었다. 지금처럼 좋은 캠핑 장비가 없던 시절이다. 아이들은 여름에 강가에서 물놀이도 마음껏 하고, 아빠랑 낚시하는 것을 좋아했다. 가끔 눈먼 피라미가 잡히면 소리를 지르며 좋아했다. 아이들이 좋아하니 불편한지도 모르고 강가에서 캠핑했다. 지금은 아이들이 성장해 성인이 돼서 엄마, 아빠를 따라다니지 않는다.

주말이면 남편은 낚시 장비를 챙겨서 낚시터로 간다. 낚시꾼의 아내는 많은 것을 인내해야 한다. 처음에는 많이 싸웠다. 낚시도 가끔 가면 되는데, 주말마다 낚시를 간다고 하니 어느 아내가 좋아할 수 있을까? 가끔은 비싼 낚시도구를 싸게 샀다고 말하기도 한다. 내가 낚시도구에 대해서 모르기 때문이다. 그냥 모른 척하고 넘어갈 때도 있다. 낚시하는 것은 괜찮은데 가끔 밤에 차를 몰고 나가기 때문에 걱정이 앞선다. 남편이 낚시하는 사람이라 밖에서 캠핑하고 차박 하는 일은 어려운 일이 아니다.

처음에는 낚시를 매일 간다고 잔소리했는데, 심심해서 한 번씩 따라다니기 시작했다. 자연과 함께하는 생활에 점점 익숙해졌다. 차박이 원래 낚시하는 사람들이 제일 먼저 시작했다. 지금은 차박하는 사람들은 낭만을 즐긴다.

처음에는 주로 캠핑을 다녔다. 바닷가 근처에서 캠핑하면 파도 소리, 풀벌레 소리, 밤하늘에 스며드는 달빛, 밤하늘에 보석을 흩뿌려 놓은 반짝이는 별들을 볼 수 있다. 하늘과 바다를 물들이는 붉은 노을빛을 보게 되면 감탄이 절로 나온다. 이 맛에 빠지면 다시 짐 싸 들고 들살이하러 밖으로 나간다. 가을에는 특히 들살이하기 제일 좋은 계절이다. 바로 옆에서 느낄 수 있는 캠핑은 낭만이다. 좋은 캠핑 장비가 많다. 한겨울 얼음 위에서도 빙박할 수 있을 정도로 장비가 발전했다.

하지만, 이런 낭만을 즐기기 위해서는 대가를 치러야 한다. 미리 캠핑장 예약을 해야 한다. 그리고 챙겨야 할 짐들이 많다. 짐을 챙기다 보면 트렁크에 가득 채워야 한다. 캠핑장에 도착해서 텐트를 치고 접는 일도 많은 에너지가 들어간다. 캠핑하는 사람들이 많아서 유명하고 이름이 난 곳은 5분 만에 예약이 종료된다. 가고 싶어도 못 가는 경우가 있다. 유명한 곳에 가고 싶어 예약을 시도해봤지만, 예약에 실패했다.

가끔 예약에 성공해서 캠핑장에 가면 사람들이 많다. 명절에도 캠핑장에 미리 와서 텐트를 치는 사람들로 북적인다. 여행 경험이 늘어나고 SNS 발달로 얻고 싶은 정보는 넘쳐난다. 알고 싶은 정보를 쉽게 찾아볼 수 있다. 사람들에게 덜 알려지고 조용하게 보낼 수 있는 나만의 아지트 같은 곳을 찾게 되었다. 아지트 같은 곳이 여러 장소가 있다.

낭만은 좋지만 번거롭다. 가볍게 떠나서 추억을 쌓고 힐링 하고 싶다. 캠핑을 하던 사람들이 차 한 대에서 숙식을 해결할 수 있는 차박이 대세가 된 이유다.

조용하고 한적한 곳이 좋다. 캠핑장은 텐트 사이 거리가 가까워서 가끔은 시끄럽다. 캠핑장 예절도 있지만, 아직도 음악을 크게 틀거나, 술자리를 가지며 시끄럽게 떠드는 사람들도 있다. 우리 부부는 술을 안 먹어서 조용한 장소가 좋다. 여름에는 캠핑장에 사람들이 많다. 이런 상황들을 피해 차박을 시작했다.

차박은 외부에 별다른 장치를 하지 않는 스텔스 차박이 있다. 스텔스 차박은 차에서 모든 것을 해결해야 한다. 좁고 불편하다. 반면 확장형 차박은 차량 외부에 장비를 설치하여 거주 공간을 넓힌 차박의 형태다. 차에 도킹 텐트를 설치하고, 거주 공간을 확장해서 여유롭게 활용한다. 차박의 불편함을 최소로 줄이기 때문에 제일 많이 사용한다. 우리 부부도 차에 도킹텐트를 설치해서 공간을 여유롭게 활용한다.

남편이 처음 차박을 하자고 제안할 때는 망설였다. 텐트 구입비용 때문이다. 집에 텐트가 있는데, 다시 구입하는 게 마음에 들지 않았다. 계속해서 나를 설득했고, 결국 차박 텐트를 구입하게 됐다. 텐트 가격이 천차만별이다. 비싼 텐트는 일반적으로 생각하는 것보다 훨씬 비싸다. 그 돈이면 호캉스를 하면서 많은 걸 누릴 수 있는 금액이다. 여러 가지 비교해 보고, 가격도 너무 비싸지 않고, 설치가 쉬운 텐트로 구입해서 아주 잘 사용하고 있다.

통계청에 따르면 지난해 캠핑 인구는 700만 명에 달하고 시장 규모는 4조 원에 이른다. 2020년 10월 한국관광공사가 발표한 캠핑 트렌드 분석 결과 캠핑 관련 검색어 중 차박이 가장 높은 증가율을 보였다.

차박의 장점은 제일 먼저 자유로움이다. 캠핑장에서 텐트 설치보다 짐을 줄일 수 있다. 차에 텐트를 연결하는데 자동으로 연결할 수 있도록 되어 있다. 차박은 휴양지나 호텔 체크아웃 시간에 얽매일 필요가 없다. 산 좋고, 물 좋고, 풍경이 아름다운 곳에 원하는 만큼 머물 수 있어서 좋다. 원하는 곳으로 이동할 수 있고, 여행이 더 여유로워진다. 자연 속에서 여가를 즐길 수 있고, 그 자체로 훌륭한 여행이다. 바쁘고 평범한 일상에서 벗어나 아무것도 하지 않고 바다를 바라보며 그늘에 앉아만 있어도 저절로 힐링이 된다. 두 번째는 여행경비를 절약할 수 있다. 여행경비 중에

숙박비용이 제일 큰 비중을 차지한다. 차박을 하면 숙박경비를 절약할 수 있다.

충남 태안 청산리 나루터 차박

2년 전에 충남 태안 청산리 나루터에서 차박을 하게 되었다. 서울에서 새벽부터 서둘러 충남 태안으로 갔다. 여행을 다니며 노는 것도 부지런하고 꼼꼼해야 한다. 새벽부터 서두르지 않으면 도로가 막혀서 제대로 시간을 활용할 수 없다. 차박 하는 장소에 도착해서 먼저 좋은 자리부터 잡았다.

여행을 가거나, 낚시터에 따라갈 때 책 한 권을 가져간다. 남편은 낚시하고 나는 챙겨간 책을 읽는다. 시간이 남으면 주변을 둘러보며 사진을 찍는다. 서로에게 방해하지 않는 시간도 갖는다. 남편이 낚시하는 이유는 꼭 고기를 잡지 않아도, 앉아서 쉬기도 하고 휴식을 취하는 일이라고 이야기했다. 사람이 일만 하며 살 수는 없다. 휴식이 있어야 다시 에너지가 생긴다. 사람들은 부부가 다니면 싸우지 않는지 궁금해한다. 밖에서 크게 싸울 일이 많지 않다. 각자의 휴식이나 취미를 즐길 수 있는 시간을 만든다. 서로의 시간을 존중해 준다. 그러면 싸울 일이 없다.

청산리 나루터는 차박을 하는 사람들에게 유명한 곳이다. 긴 해변가로 되어 있다. 바다도 바로 눈앞에서 볼 수 있고, 높은 축대로 쌓여 있어 캠핑을 즐기거나, 차박을 즐기기에는 안성맞춤인 곳이다. 새벽 일찍 일어나서 바닷가를 거닐며 산책했다. 서쪽 바다에서 생각도 못 한 일출을 볼 수 있었다, 순간 서쪽에서 해가 떠오른다고 잠시 생각했다. 저 멀리 바다 위로 여명이 밝아 왔다. 칠흑 같은 어둠을 뚫고 희망차게 떠오르는 태양은 신비로웠다. 하늘과 바다가 붉은빛으로 물들고 안개가 피어올랐다. 어디가 하늘이고 어디가 바다인지 구분할 수 없었다. 자연에서만 볼 수 있는 선물 같은 날이다.

새벽 산책을 좋아한다. 아무도 일어나지 않고, 조용한 시간에 상쾌함을 온몸으로 느낀다. 호숫가에 피어오르는 아침 안개가 좋다. 캠핑하고 차박을 해도 이런 날이 매일 있는 것은 아니다. 흐린 날은 해도 볼 수 없고, 비 오고 바람 부른 날도 있다, 날씨가 좋으면 좋은 대로, 흐리면 흐린 대로, 특별한 풍경을 선사한다. 아름다운 풍경이 아직도 눈에 선하고 잊을 수 없는 장소다. 동해안에서 보는 일출과는 다른 느낌이다.

차박은 길에게 묻는 여행이다

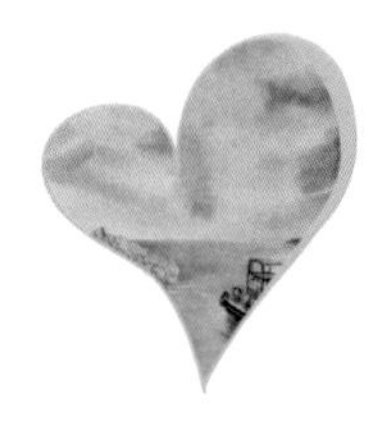

한비야는 여행은 다른 문화, 다른 사람을 만나고 결국에는 자기 자신을 만나는 것이라고 이야기한다. 캠핑을 하고, 차박을 하면 머물러 있지 않고 많은 것을 보고 경험한다. 책을 읽거나 여행 갈 때 결국은 자신을 찾아가는 거다. 차박 캠핑을 다닌다고 말하면 안 가 본 사람들은 아주 불편하다고 생각한다. "불편해서 어떻게 차에서 잠을 자?"라고 질문하는 경우가 많다. 물론 호텔이나 팬션에서 즐기는 여행이 제일 편안하고 깨끗하다. 내가 차박 캠핑을 하는 이유는 가장 가까운 곳에서 자연을 보고 즐기고 싶기 때문이다.

차박 캠핑은 잠을 자기 위한 목적이다. 남편은 호수가 에서 낚시가 목적이다. 낚시는 주로 밤에 잡히기 때문에 낮에는 자리를 잡아놓고, 그 지역 여행지를 탐방한다. 캠핑장에서만 있다가 오는 사람들을 보면 안타깝다는 생각이 든다. 앉아서 쉬는 것도 때로는 필요하다. 하지만, 평소의 일상생활에서 벗어나 다른 지역에 가는 게 쉬운 일이 아니다. 이왕 캠핑, 차박을 하면 하나라도 더 보고 느끼고 오는 것이 좋지 않을까? 차박이나 캠핑 일정이 잡히면 그 지역 어디를 가서 여행을 할까? 생각하면서 검색해보고 안 가본 새로운 곳을 선택해서 여행한다. 그러면 시간 절약을 할 수 있다. 여행을 하면서 맛집이 있으면 맛있는 음식도 사 먹는다.

진천 보탑사, 속리산 법주사 향기 속으로

우리나라는 4계절이 아름다운 나라다. 봄에 여행하며 가본 곳도, 가을에 가면 또 다른 느낌이다. 봄에는 아름다운 꽃들을 볼 수 있다. 여름에는 시원한 계곡에 자리 잡고 그늘에 앉아서 쉴 수 있다. 가을에는 등산도 하고, 아름다운 단풍을 찾아 떠난다. 가을은 제일 좋아하는 계절이다. 겨울에는 춥긴 하지만, 겨울 놀이도 매력 있다. 캠핑장에 텐트를 설치하고 주변을 둘러본다. 여행지에서 사찰을 탐방하는 것도 좋다.

사찰마다 모습은 다르다. 사찰마다 단청문양을 관찰하는 것은 색다른 재미가 있다. 사진을 찍어 보면 사찰의 단청문양이 다르다. 사찰에는 세계문화 유산으로 지정된 곳이 많다. 교과서에서나 볼 수 있는 귀중한 자료를 볼 수 있다. 사찰은 병풍처럼 산으로 둘로 쌓여 있다. 봄은 푸릇푸릇 새싹들이 세상 구경을 나온다. 여름에는 푸르름이 밀려온다. 가을 산은 푸르름을 벗고 붉은 가을로 물들고, 가을빛 든 사찰은 화려함을 입는다. 겨울 사찰은 흰 눈이 쌓이면 그 멋을 더 한다. 쌓여 있는 눈 위를 걸으면 사그락사그락 발걸음 소리에 기분이 좋아진다.

우리나라에는 전국에 오래된 사찰이 많다. 최근에 다녀온 사찰 중에서 기억에 남는 사찰은 진천에 있는 보탑사와 속리산 법주사가 생각난다. 보탑사는 진천 보련산에 있는 절이다. 고려시대 절터에 1996년 재창건했다. 비교적 최근에 지어진 고찰이다. 주변의 산세가 아름답고, 수려해서 둘러봤다. 보탑사는 3층 목탑으로 되어 있다. 높이가 52.7m로 14층 아파트와 맞먹는 높이라고 한다. 강원도 소나무로 못을 전혀 사용하지 않는 전통 방식으로 쌓았다고 전해지고 있다.

저수지에 차박 자리를 잡고 속리산 법주사에 다녀왔다. 가을철이라 단풍 구경을 하기 위해 많은 사람이 속리산 법주사를 방문했다. 주차장에 차를 세우고, 숲속 길을 걸으며 법주사로 향했다. 숲속 길을 걸으면 서울에서 느낄 수 없는 싱그러움에 빠진다. 풀냄새, 산새 소리를 들으면 머리가 맑아진다. 법주사는 신라시대의 처음 법등을 밝혀 기나긴 세월의 발자취를 절 안팎의 수많은 유물과 유적을 고스란히 지니고 있는 오늘날 이 땅에 미륵신앙의 요람이라고 불리고 있다.

법주사에 가면 제일 먼저 팔상전이 눈에 들어온다. 팔상전은 (국보 제55호)로 지정되어 있다. 팔상전은 우리나라에서 남아 있는 유일한 5층 목조탑으로 신라 성덕왕 때 조성된 것으로 지금의 건물은 임진왜란 이후에 소실되어 1602년부터 사명대사와 벽암대사에 의해 조선 인조 2년에 다시 복원되었고, 1968년에 해체, 수리했다. 벽면에 부처의 일생을 8장면으로 구분하여 그린 팔상도가 그려져 있어 팔상전이라 이름 붙였다.

여행을 하면 새로운 것을 보고 느낀다. 사진을 찍어서 흔적을 남기기는 하지만, 눈으로 보고 가슴으로 느끼는 것이다. 사진 한 장으로 감동을 표현하기는 어렵다.

나만의 은밀한 차박지를 찾아 떠난다

차박은 망설이지 않고 그냥 떠나는 것이다. 차박을 떠나고 여행을 하면 우리나라 사람들은 여행을 좋아한다는 것을 알 수 있다. 아침 일찍 집을 나서도 벌써 도로에 많은 차가 움직인다. 여행지에 도착해도 주차할 곳을 찾아야 한다. 여행을 가기 위해서 전날 가져갈 짐을 미리 챙겨 놓는다. 차박을 즐기는 사람들이라 기본적으로 짐이 잘 정리되어 있다. 가서 먹을 음식만 잘 챙겨 가면 된다. 음식은 간단하게 먹는다. 간단하게 먹을 수 있게 밀키트가 잘 나와 있어서, 부담 없이 준비하고 언제나 떠날 수 있다. 가끔 그 지역 맛집에 들러서 사 먹기도 한다.

남편이 차박지로 제일 좋아하는 곳은 낚시터 저수지다. 바닷가 근처도 좋다. 남편은 자기가 좋아하는 낚시를 하고, 낮에는 내가 좋아하는 그 근처 여행할 곳을 찾아다닌다. 사장님과 안면을 익혀 두면, 사장님이 차박을 해도 별도로 비용을 받지 않는 경우도 있다. 낚시하는 비용만 내면 된다. 낚시터에서 차박을 하면 조용하다. 낚시터에서 차박 하는 사람들이 많이 없기 때문이다,

낚시꾼들은 낚시터에서 시끄럽고 환한 불빛을 제일 싫어한다. 시끄럽고 환하면 낚시를 할 수 없다. 낚시는 고도의 집중력을 요구한다. 고기 잡는 것에만 집중해야 물고기를 한 마리라도 잡고 손맛을 볼 수 있다. 물고기가 아무 때나 잡히지 않는다. 아침 일찍 새벽 시간에 잡히고, 저녁 늦게 다른 사람들이 잠들어서 조용할 때 잡힌다.

황금 카펫이 깔려 있는 저수지 낚시터에서 차박을 했다. 익어가는 가을빛을 보기 위해서 수많은 사람이 모여들었다. 전문 사진작가들은 사진이 잘 나오는 곳에 자리를 잡고 사진을 찍었다. 우리나라에서 은행나무 숲길이 여러 곳 있다. 그중에서 아주 유명한 충북 괴산 문광저수지 은행나무 숲길이다. 몇백 그루의 은행나무가 있고, 호수 근처 다른 은행나무보다 색깔이 더욱 곱게 물들었다. 호수 속에 노란 물감을 풀어 놓은 듯한 색깔, 10월의 마지막 잎새로 남아 있으면 좋겠지만, 바람에 은행잎이 소복소복 쌓여갔다.

들어가는 입구 주차장부터 주차할 수 없을 정도였다. 가을 한철 10월 20일 ~ 11월5일까지 약 2주 정도만 볼 수 있는 풍경이다. 이번 주를 놓치면 또 내년을 기약해야 한다. 저녁에는 아름다운 조명으로 형형색색 바뀌면서 아름다움을 더 했다.

새벽 아침 일어나 물안개 피어오르는 호수를 바라보면서, 따뜻한 커피 한 잔을 마시는 것이 제일 좋았다. 호숫가에서 마시는 커피향이 다시 그리워진다. 물가에서 소소한 행복을 누리기 위해서 남편 따라 차박을 다닌다.

차박 여행만 하는 사람들은 강가에서 차박을 한다. 강가에서 무료로 노지 차박을 즐긴다. 문제는 차박을 하고, 쓰레기를 그냥 버리고 가는 사람들이다. 아지트처럼 그냥 부담 없이 차박을 다니던 강가였다. 나만의 은밀한 곳이었다. 우리는 간단하게 짐을 챙겨 토요일에 가서 일요일 아침에 짐을 챙겨 집에 올 수 있는 곳이다. 어느 날부터 들어가는 길이 모두 막혀서 들어갈 수 없는 곳이 되었다. 표지판 경고문에 쓰레기로 인해 지역 주민들과 동식물이 피해를 입고 있다는 경고문이 붙어 있었다. 차박지가 폐쇄되는 일도 다반사다. 환경오염을 줄이는 데 목적이 있지만, 깨끗하게 사용하는 우리는 아쉽기만 하다.

아끼고 좋아하는 은밀한 차박지 한 곳에 못 가게 되었다. 차박을 가면 항상 쓰레기를 다 챙겨온다. 다음에 갈 때 눈살 찌푸리는 경우가 없게 해야 한다. 자연을 우리 마음대로 쓰는 것이 아니라 잠시 빌려 쓰고 오는 거다. 놀고 오면서 흔적을 남기면 안 된다. 누가 왔다 갔는지 모르게 해야 한다. 그래야 다음에 또 즐겁게 떠날 수 있다.

차박을 하면서 주의해야 할 점도 많다.

캠핑하고, 차박을 하면 무엇보다도 제일 중요한 것은 안전이다. 자연을 가까이에서 즐길 수 있는 장점도 있지만, 여러 가지 단점 지켜야 할 주의 사항도 있다. 그곳이 어디든 안전과 관련된 문제는 만반의 준비를 해두어야 한다. 차박 장비는 한꺼번에 구입할 필요가 없다, 봄, 여름, 가을, 겨울 4계절을 다녀보면서 꼭 필요한 것이 있을 때 하나씩 구입하는 것을 추천한다.

차 안은 아무래도 공간이 좁고, 불편할 수 있다. 그러나 우연히 발견한 나만의 장소에 펼쳐진 환상적인 뷰를 만나게 되면, 불편함은 아무것도 아니다. 불편함을 감수하고, 나만의 은밀한 아지트로 떠난다.

당신의 열정이 당신을 결정

손기택

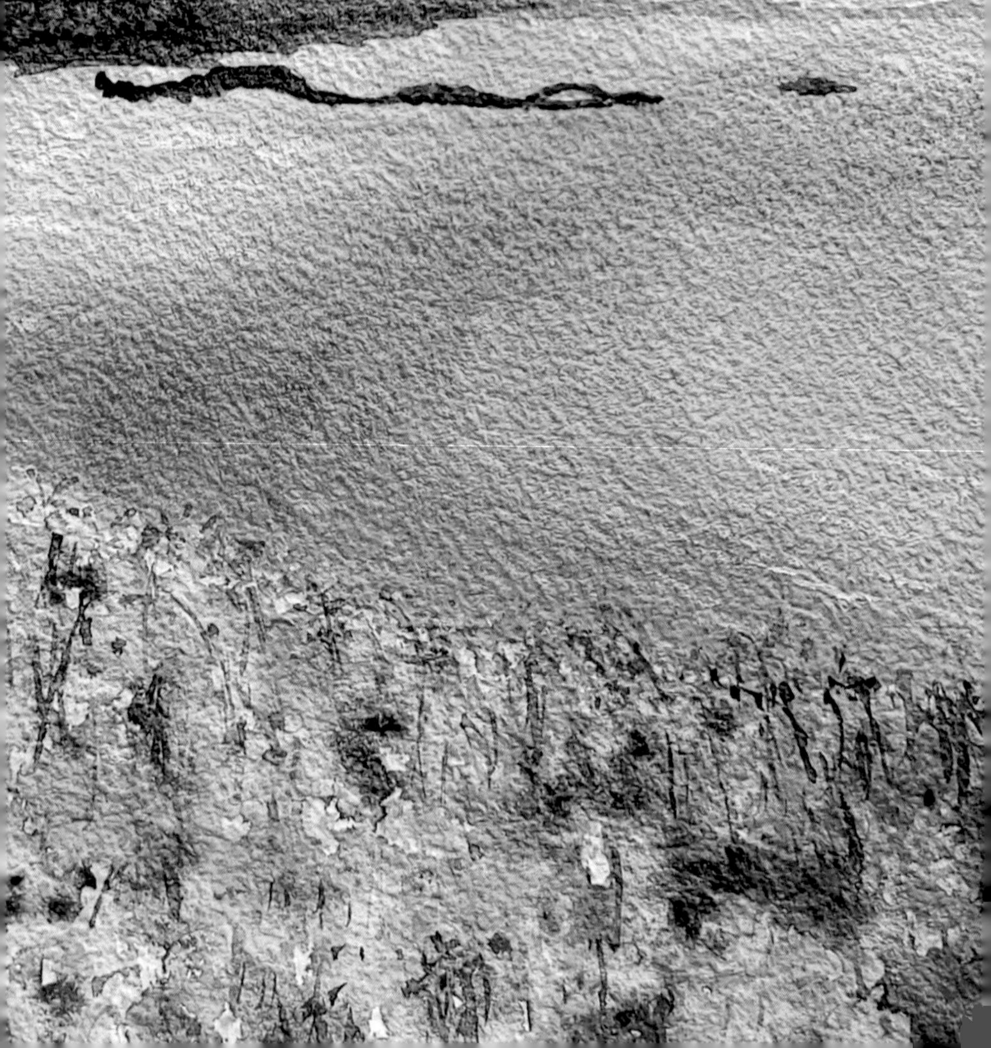

예전 어른들이 이야기하신 게 나이가 들수록 공감되는 부분이 참 많다. 나이가 들수록 인생의 가속도가 붙는다고…. 어렸을 때는 이해가 안 되었는데, 40대에 진입하니 인생의 속도감이 느껴진다.

젊었을 때는 의무적으로 해야 할 과정들이 많았기 때문에, 어려운 순간을 빠르게 지나고 싶은 마음에 시간이 빨리 흘러갔으면 하는 바람이 있었다. 입시에서 빨리 벗어나고 싶었고, 군대에 빨리 전역하고 싶었으며, 취업 준비에서 빨리 벗어나고 싶었고, 회사에 입사하면서는 빨리 막내에서 벗어나고 싶었던 순간들이 있었다. 벗어나고 싶었던 순간들은 왜 그리 천천히 흘러가는지…. 이제는 하루하루가 아깝다는 생각이 들 정도로 내게는 하루하루가 소중하다. 삶이 영원하지 않기 때문에 그런 듯하다.

우리는 항상 이별과 만남을 함께 마주하고 있으며, 나이가 들수록 이별의 순간이 많아지다 보니 만남의 기쁨보다 이별의 슬픔이 더 크게 느껴져서 그런 듯하다. 지금 함께 근무하고 있는 직원들도 언제 가는 헤어질 수밖에 없다. 세상에서 가장 소중하고 가장 많은 시간을 보내는 가족들도 언제 가는 이별을 해야 하는 순간이 온다. 그 순간이 어느 누구에나 올 수밖에 없기 때문에 내게 주어진 하루하루가 소중한 요즘이다.

다수의 사람들은 인생을 여행에 비유하는 경우가 많다. 특별하지는 않지만, 공감되는 부분이 많다. 우리가 여행을 계획하거나 여행을 갈 때 기간을 정해놓고 떠나는 경우가 많다. 짧게는 1박 2일의 여행, 길게는 9박 10일의 여행 등 모든 여행의 과정이 정해진 기간이 있기 때문에 우리는 인생을 여행에 비유하는 게 아닌가 생각한다. 어떤 사람은 스무 살이라는 짧은 시간일 수도 있고 어떤 사람은 백 살이라는 긴 시간일 수도 있다. 내게 주어진 생명이 정해져 있지 않기 때문에, 내게 주어진 하루하루가 요즘은 무척 소중하게 느껴진다. 내게 주어진 하루, 난 스스로에게 의미 있는 삶이 되도록 노력하는 편이다.

현재 '성북50플러스센터'에서 근무하는 순간도 나에게는 소중한 시간이다. 50플러스센터는 은퇴 전/후에 있는 중장년 세대를 대상으로 인생 2막을 체계적으로 재설계 할 수 있도록 지원하는 교육기관이다. '인생 2막' 기존에 있던 세상에 다른 세상을 준비하는 시간의 구분 단위. 전 성북50플러스센터에서 현재 인생의 5막을 준비 중에 있다.

'인생 1막'은 참좋은여행사에 OP로 시작했다. 미주, 동남아 패키지 상품의 여행객 모집과 현지 랜드사를 통한 호텔과 일정 예약, 그리고 항공권 예약 등 여행에 관한 전반적인 일로 첫 직장생활을 시작하였다. 참좋은 여행에서 근무하다 보니, 좋은 기회가 내게 주어졌다. 회사 측에서 참좋은여행 공항팀 위탁운영의 기회를 내게 제시하였고, 서른 살이라는 젊은 나이에 창업 기회를 갖게 되었다. '글로벌 샌딩'이라는 업체명으로 사업자를 내고, 직원

4명과 함께 1년간 '참좋은여행' 고객들의 수속과 여행 계약서 작성 등의 업무를 대행하였다.

그렇게 '인생 2막'은 '글로벌 샌딩(창업)' 진행되었다. '인생 3막'은 '대한저축은행' 근무라 생각한다. 직장 생활 중 가장 오랜 기간 8년 6개월 금융업에서 종사하였다. 저축은행에 근무하며 '호남대학원 사회복지학과'에 입학하였다. 미래를 위한 두드림의 시도, 무언가 새로운 분야에 도전하고 싶은 생각이 아마 이때부터 시작된 것 같다. 일과 학업을 병행하며, 2년의 석사과정이 끝냈다.

난 새로운 분야의 도전을 위해 사회복지 분야에 문을 두드렸고, 그 결과 성북50플러스센터 개관 멤버로 2018년 12월 1일에 입사하였다. 아마 2018년 12월이 나에게는 '인생 4막'의 시작이라 생각이 든다. 하얀 캔버스(성북50플러스센터)에 5년간 그린 그림들이 소중하고, 그 기록들이 내게는 소중한 추억이 된다. 난 아직도 새로운 삶을 궁금해하고, 도전하고 싶어 한다. 내게 도전 없는 삶은 심심하다. 내게 주어진 소중한 인생! 다양한 색깔로 다양한 그림을 그려보고 싶다.

성북50플러스센터 손기택 PM은 현재 인생 5막을 준비 중이다. 성북50플러스센터를 '디딤돌' 삼아 새로운 삶을 '두드림'하고 싶다. 일상 속에서 마음속으로 외쳐본다. '당신의 열정이 당신을 결정' 열정 속에서 새로운 삶이 개척될 거라 믿는다.

성북50플러스센터 개관식

보문역재능나눔활동 및 찾아가는 상담

농협은행 업무협약식

6도 귀농귀촌종합지원센터 업무협약식

서울시6개캠퍼스타운MOU체결(고려대학교)

중장년사회공헌형일자리'지역복지사업단'운영

성북구민을위한'2050세대융합디지털금융교육'

대학교 지역연계사업 '1060문화로통하다'

중장년 예비창업자 대상 실천창업과정

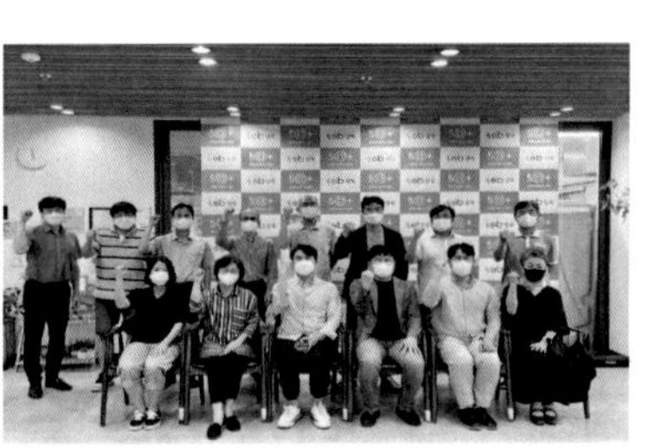
중장년 예비창업자 대상 실천창업과정

성북구지역상권활성화프로젝트(소상공인대표)

성북구 지역상권활성화 프로젝트 (천안문)

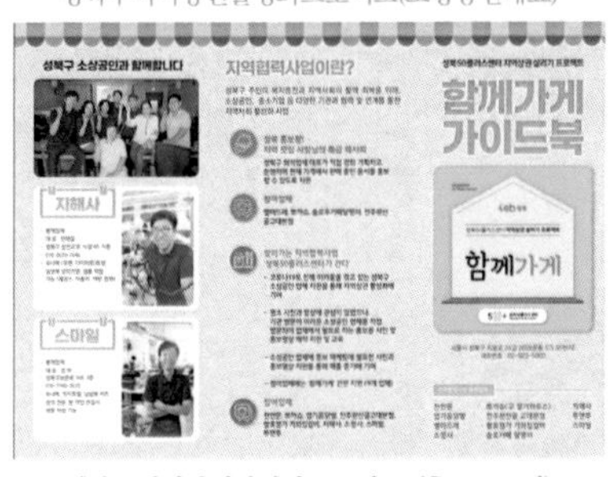

성북구지역상권활성화프로젝트 (홍보브로셔)

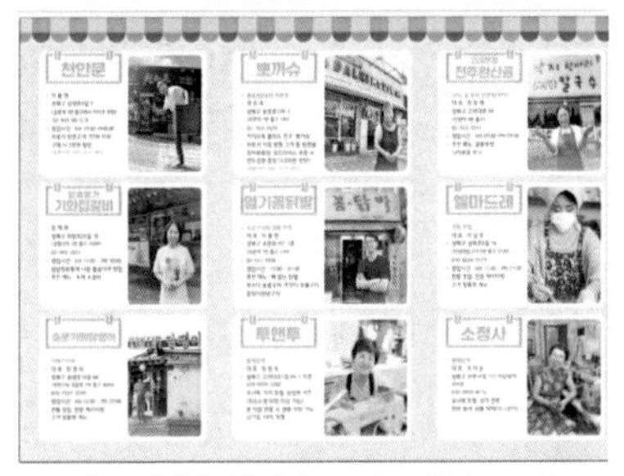

성북구지역상권활성화프로젝트 (홍보브로셔)

성북구 소상공인[함께가게] 간판사업 전달식

성북구 소상공인[함께가게] 간판사업 전달식